目次

國際法關係主要文獻

一　テキストブック

(1)　横田喜三郎「國際法」(新版、昭和二三年)(有斐閣)三三二頁
(2)　田岡良一「國際法」(昭和二五年)(勁草書房)二七二頁
(3)　田岡・田畑「國際法講話」(昭和二三年)(高桐書店)二四二頁
(4)　田畑茂二郎「國際法」(昭和二六年)(有信堂)二六八頁
(5)　前原光雄「國際法」(昭和二四年)(世界書院)三四五頁
(6)　鈴木萬美「國際法」(全)(昭和二五年)(嚴松堂)三八一頁
(7)　田村幸策「國際法」上卷(昭和二六年)(有斐閣)二七三頁
(8)　小谷鶴次「國際法學要綱」(昭和二四年)(有斐閣)一五二頁
(9)　一又正雄「國際法學」(昭和二五年)(嚴松堂)
(10)　横田・祖川・高野「國際法」(法政大學通信教育部)(昭和二三年—二五年)四三四頁

---

(11)　横田喜三郎「國際法」上(改訂、昭和一四年)(有斐閣)三〇四頁
(12)　同「國際法」下(改訂、昭和一五年)(有斐閣)三〇二頁

(13) 田岡良一「國際法學大綱」上（改訂增補、昭和一八年）（嚴松堂）四六八頁
(14) 同「國際法學大綱」下（昭和一四年）（嚴松堂）四六八頁
(15) 立作太郎「平時國際法論」（昭和五年）（日本評論社）七〇〇頁
(16) 同「戰時國際法論」（改訂增補、昭和一九年）（日本評論社）七三四頁
(17) 安井郁「國際法講義要綱」Ｉ（昭和一四年）（弘文堂）三二〇頁
(18) 松原一雄「國際法概論」（昭和九年）（嚴松堂）五九一頁
(19) 同「國際法要義」（昭和一六年）（有斐閣）四七六頁
(20) 大澤章「平時國際法」（昭和一二年）（日本評論社、新法學全集）四八七頁
(21) 信夫淳平「戰時國際法講義」一―四卷（昭和一六年）（丸善）約五千頁
(22) 同「戰時國際法講義提要」上下卷（昭和一八年）（照林堂）約二千頁
(23) 横田喜三郎「國際法」（岩波全書）（昭和八年）二二三頁
(24) 前原光雄「戰爭法」（ダイヤモンド）（昭和一八年）二八五頁

二 主要なモノグラフイー

A 總論・平時

(1) 大澤章「國際法秩序論」（昭和六年）（岩波）六三一頁
(2) ル・フユール、パウンド、フエルドロス 大澤・野見山譯「國際法の基本問題」（昭和六年）（岩波）二四〇頁

(3) アンチロッチ 一又譯「國際法の基礎理論」(昭和一七年)(嚴松堂)五七八頁
(4) 横田喜三郎「國際法の法的性質」(昭和一九年)(岩波國際法論文叢書(一三〇頁)昭和二三年森田書店)
(5) 同「國際法の基礎理論」(昭和二四年)(有斐閣)二五六頁
(6) 立作太郎「現實國際法諸問題」(昭和一二年)(岩波)一六一頁
(7) 板倉卓造「近世國際法史論」(大正一三年)(嚴松堂)四〇六頁
(8) 寺田四郎「國際法學界の七巨星」(昭和一一年)(立命館出版部)三八〇頁
(9) グローチウス 一又譯「戰爭及び平和の法」第一——三卷(昭和二五・二六年)(嚴松堂)
(10) 一又正雄「國際法の歷史及び理念」(昭和二三年)(正統社)一六一頁
(11) 田畑茂二郎「國家平等觀念の轉換」(昭和二一年)(秋田屋)三三四頁
(12) 横田喜三郎「自衞權」(昭和二六年)(有斐閣)二一七頁
(13) 大澤章「グロティウス自由海論の研究」(昭和一五年)(岩波)一四一頁
(14) 横田喜三郎「海洋の自由」(昭和一九年)(岩波)一四五頁

B 現實諸問題

(1) 横田喜三郎「國際連合の研究」(昭和二二年)(銀座出版社)二九七頁
(2) 同「國際連合」(昭和二五年)(有斐閣)三三三頁
(3) 田岡良一「國際連合憲章の研究」(昭和二四年)(有斐閣)二六七頁
(4) 芳賀四郎「國際連合憲章の解說」(昭和二四年)(有斐閣)四七〇頁

(5) 横田・鈴木・田中・石井・高野「連合國の日本管理」(昭和二二頁)(大雅堂) 三一一頁
(6) 芳賀四郎「日本管理の機構と政策」(昭和二六年)(有斐閣) 四〇二頁
(7) 横田喜三郎「戰爭の放棄」(昭和二二年)(國立書院) 二一五頁
(8) 横田喜三郎「世界國家の問題」(昭和二三年)(同友社) 二三一頁
(9) エメリー・リーヴス 稲垣譯「平和の解剖」(昭和二四年)(毎日新聞社) 三三八頁
(10) 田畑茂二郎「世界政府の思想」(昭和二五年)(岩波新書)
(11) 同「世界人權宣言」(昭和二六年)(弘文堂アテネ文庫)
(12) 横田喜三郎「戰爭犯罪論」(改訂版、昭和二四年)(有斐閣法學選書) 三三六頁
(13) シェルドングリュック 横田譯「戰爭犯罪の法理」(昭和二三年)(逍遥書院) 一六八頁
(14) 高柳賢三「極東裁判と國際法」(昭和二三年)(有斐閣) 和英兩文二四八頁

C 戰時＝(第二部)

(1) 横田喜三郎「國際裁判の本質」(昭和一六年)(岩波) 七四一頁
(2) 田岡良一「戰爭法の基本問題」(昭和一九年)(岩波書店) 一三七頁
(3) 横田喜三郎「安全保障の問題」(昭和二四年)(勁草書房) 二四一頁
(4) 鈴木・宮崎「近代戰と國際法」(昭和二六年) 四七〇頁

三 日本の講和及び安全保障

(1) 横田喜三郎「日本の講和問題」(昭和二五年)(勁草書房)

(2) 田岡良一「永世中立と日本の安全保障」(昭和二三年)(有斐閣)

(3) 入江啓四郎「講和問題の基礎知識」(昭和二五年)(時事通信社)

(4) 横田喜三郎「朝鮮問題と日本の將來」(昭和二五年)(勁草書房)

(5) 田岡良一「日本諸島の中立化」(時論、昭二四―五)

(6) 恒藤恭「戰爭放棄の問題」(世界、昭二四―五、六)

(7) 田中愼太郎「日本はいかにして戰爭の圈外に立ちうるか――日本の永世中立論に關して――」(世界評論、二四―六)

(8) 横田喜三郎「永世中立論を批判する」(前進、二四―七)

(9) 田岡良一「永世中立論の立場から」(前進、二四―九)

(10) 入江啓四郎「戰爭の拋棄と日本の保全」(前進、二四―一二)

(11) 田岡良一「永世中立の起因」(國際法外交雜誌四八巻六號、昭二四―一二)

(12) 笠信太郎「中立態勢への道」(文藝春秋、二五―一)

(13) 山下康雄「永久中立について」(中央公論、二五―四)

(14) 恒藤「戰爭放棄の條項と安全保障の問題」(改造二五―四)

(15) 同「對日講和の方式と安全保障の形態」(世界、二五―四)他

(16) 平和問題懇談會「講和問題に關する聲明」(世界、昭二五―四、附錄)

(17) 田岡良一「安全保障の分類における永世中立の地位」(法哲學四季報六號、昭二五―四)

(18) 横田喜三郎「戰爭放棄と自衞權」（法學協會雜誌六八卷三號、昭二五―三）

(19) 一又正雄「平和日本と安全保障」（國際法外交雜誌四八卷六號、昭二四―一二）

(20) 高野雄一「日本の國際的地位」（東洋文化研究五號、昭二二―八）

(21) 横田喜三郎「日本管理の將來」（日本管理法令研究一三號、昭二二―一〇）

(22) 同「集團的自衞の法理」（國際法外交雜誌四八卷四號、昭二四―一〇）

(23) 同「集團的自衞」（恒藤博士還曆記念法理學及國際法論集、昭二四）

(24) 佐藤功「講和をめぐる憲法解釋の諸問題」（法律時報、昭二六―三）

(25)「國際法外交雜誌」（四九卷三號、昭二五）講和條約特輯號―英、對日講和と米英、入江・ソ連と對日講和、植田・中國と對日講和、高野・平和條約と日本の領土、大平・國連と永世中立、横田・國連と日本の安全保障

(26)「世界」講和問題特輯（昭二六―一〇）

(27) 同「法律時報」（昭二六―九）――入江・日本平和條約の概要、鈴木・憲法との關連における問題點、神谷・安全保障條項、山下・賠償條項

(28) 入江啓四郎「日本講和條約の研究」（昭二六、板垣書店）

四　雜誌その他定期刊行物

A　一般的のもの

「國際法外交雜誌」（東大法學部研究室內、國際法學會）

その他の法律學雜誌

B　特殊なもの

「日本管理法令研究」（東大法學部研究室內、日本管理法令研究會）

五　條約集

(1) 大平善梧編「國際條約集」（昭和二四年、富士出版社）

(2) 横田喜三郎編「國際條約集」（昭和二五年、有斐閣）

六　文獻集

(1) 佐藤信太郎「國際法及び國際私法論題彙輯」（昭和二四年）

(2) 東大學生文化指導會「法律學研究の栞」上下（昭和二五年）

七　外國文獻

A　書物

(1) Oppenheim (Lauterpacht), International Law, 1 st vol. (Peace), 7th. ed, 1948, pp. 940. 2nd vol. (Dispute, War, and Neutrality), 7th ed, 1944.

(2) Brierly, The Law of Nations, 4th ed. 1949, pp. 301.
(3) Le Fur, Précis de droit international public, 1937, pp. 656.
(4) Scelle, Cours de drort international public, 1948, pp. 1006.
(5) Anzilotti, Corso di diritto internazionale. 1927. (Cours de droit international, 1929, Lehrduch des Völkerrechts, 1929, ss. 429)
(6) Liszt, Das Völkerrecht, 1925, ss. 568.
(7) Hyde, International Law Chiefly as Interpreted and Applied by the United States, 3 vols., sec. rev. ed., 1947.
(8) Jessup, A modern Law of nations, 1950, pp. 236.
(9) Goodrich & Hambro, Charter of the United Nations, 2 nd. ed., 1949, pp. 710.
(10) Nussbaum, A Concise History of Law of Nations, 1947, pp. 361.

B 雑誌

(1) American Journal of International Law.
(2) British Year Book of Intertational Law.
(3) Revue général de droit internanional public.
(4) Revue de droit international et de législation comparée.
(5) Recueil des cours de l'Académie de droit international.

(6) Zeitschrift für Völkerrecht.
(7) International Conciliation.
(8) International Organization.

八　筆者の主な論文

(1) 「國際社會、國際法秩序の過去、現在及び將來」（法學志林四七卷一號、昭和二四年七月）
(2) 「世界國家論、二〇世紀の國際法國際社會の課題」（法學志林四七卷二・三・四號、昭和二五年二月）
(3) 「國際專門機關と國際法」（法學協會雜誌、昭和二五年三月）
(4) 「國際連合と世界平和――諸文獻を通じて」――（法哲學四季報六號、昭和二五年四月）
(5) 「國際裁判」「國際法」「國際連合」「條約」「信託統治」他（平凡社、社會科學事典三卷、四卷、昭和二四年）
(6) 「拒否權」「講和條約」「世界政府」他（平凡社、大百科事典新增補一卷、二卷、昭和二四年）
(7) 「戰時封鎖制度論」（國際法外交雜誌四三卷一・二・三・四・五・六・八・一〇・一二各號、昭和一九年）
(8) 「歐洲諸國の占領管理」（日本管理法令研究一三號、昭和二二年）――「ヨーロッパ講和條約の研究――領土問題」（同上　一六號、昭和二二年）――「世界人權宣言の成立」（同上　二七號、昭和二四年）――「管理下の裁判管轄權」（同上三三號、昭和二五年）
(9) 「日本の國際的地位」（東洋文化研究五號、昭和二二年）

(10)　「平和條約と日本の領土」（國際法外交雜誌四九卷三號、昭和二五年六月）

(11)　共著「國際法」（法政大學通信教育部）昭和二三―二五年（一の(9)參照）

九　現在の主要な國際法學者

横田喜三郎（東大教授　法博）

田岡良一（京大教授　法博）

前原光雄（慶大教授）

大平善梧（商大教授）

一又正雄（早大教授）

田畑茂二郎（京大教授）

祖川武夫（東大教授）

山下康雄（名大教授）

小谷鶴次（廣島大教授）

信夫淳平（學士院會員　法博）

松原一雄（前中大教授　法博）

大澤　章（前九大教授　法博）

安井　郁（前東大教授）

立　作太郎（學士院會員　東大名譽教授　法博）

國際法講義要目

總　論

第一章　國際法の性質

第一節　國際社會の法

一　國際社會

二　國家間の關係

（國際社會組織の問題）

（個人の主體性の問題）

三　國家間の合意

（國家主權の問題）

四　法的性質

○國際法學の方法論

第二節　國際法規の類別

（國際法の本質、特質との關連）

一　成文國際法（條約）と慣習國際法

各　論

（國家主權、國家の基本的權利義務、特に平等權、自衞權　國內問題）

四　國家の消滅——國家相續——

第二節　國際機關

一　國際連合

(1)　歷史的意義

(2)　國際平和機構としての法的特質

(3)　成　立

(4)　目的・原則

(5)　加盟國

(6)　機關——總會、安全保障理事會、經濟社會理事會、他

(7)　任務——平和及び安全の維持、經濟的社會的協力の達成

二　專門機關、地域的國際組織

○國際連合、專門機關と日本

第三節　個　人

國際訴訟能力、戰爭責任能力

（基本的人權の問題）

第二章　國際法の地的客體

第一節　國家領域

一　性　質

二　範圍及び地位

(1)　領　土

(2)　領　海――(接續水域)

(3)　灣、内海、海峽、港

(4)　領　空――(航空の問題)

第二節　公　海(非國家領域)

公海の自由――公海使用の自由――公海における國際法的規律

第三節　國際的統治地域

一　國際地役

二　租　借　地

三　國際海峽

四　國際河川

五　國際運河

六　信託統治地域

七　トリエスト自由地域

第三章　國際法の人的客體

第一節　人

一　國　民

(1) 國　籍

(2) 外交的保護

(3) 國際的保護

二　外 國 人

(1) 外國人の入出國

(2) 外國人の地位

(3) 犯罪人引渡

○世界法、國際行政法と個人の地位

第二節　船舶、航空機

一　軍艦、公船、私船

（治外法權、裁判管轄權）

二　軍用、公用、私用航空機

（治外法權、裁判管轄權）

第三節　國際交渉の國家機關

一　總　説

二　元首、外務大臣

（日本國憲法の場合

三　外交使節

(1)　總　説

(2)　種　類

(3)　派遣接受

(4)　職　務

(5)　特　權

a　意　義

b　不可侵權

c　治外法權

四　領　事

(1)　種　類

(2)　派遣接受

(3)　職　務

(4)　特　權

第四節　國際團體の機關、職員（國際的官吏）

第四章　國際協力（國際法の機能的客體）

一　經濟的協力

二　社會的協力

三　文化的協力

第五章　國際法律行爲（條約）

一　概　說

二　種　類

三　條約の當事者

四　條約の成立

調印、批准、批准書の交換又は寄託

（日本國憲法の場合）

五　條約の效力――登錄――

六　條約の消滅

第六章　國際不法行爲（國家責任を中心に）

一　總　說

國家と個人

一　國家間の强力行爲――國際紛爭强力處理の諸手段

二　戰爭と國際紛爭の解決

三　戰爭の制限、禁止、犯罪化

四　國際社會の組織化、集團的安全保障

五　戰爭及び中立法規の變貌

〇戰爭と國際法、制裁と國際法

第二節　戰　爭　法

一　戰爭法研究の意義

國際組織に於ける戰爭と中立

二　戰爭の開始

(1)　戰爭開始の手續

(2)　戰爭開始の効果

外交關係、條約關係、對國民關係、通商・財産關係、對商船關係、敵性の問題

三、陸　　戰

四、海　　戰

五、空　　戰

六、戰爭法規違反に對する制裁

○戰爭犯罪の問題

國際社會の組織化と戰爭犯罪

七、戰爭の終了

（日本の占領管理、日本の平和條約の問題）

第三節　中　立　法

一　中立法研究の意義

中立法の歷史的發達

中立制度と國際社會の組織化

國際連盟、國際連合の場合

二、中立國の地位

(1)　中立國の權利義務の性質

(2)　中立國の義務

默認義務、防止義務（中立領域の不可侵）、避止義務（交戰國不援助）

三　海上捕獲法と中立船

(1)　海上捕獲

イ　戰時禁制品

ロ　封　鎖

參考（平凡社社會科事典に筆者が執筆したものに若干の修正を加えたもの、文獻のところ八の(5)參照）

一 國際法

國際法は國際社會の法律である。國家と呼ばれる社會（國内社會といつてよかろう）に憲法だとか、民法だとか、刑法だとか、勞働法だとか、つまり一般に國内法といわれる法律が嚴存するように、國際社會にも法律がある。これが國際法である。それは原則として國家間の關係を規律している。そしてそれは國家間の合意にもとづいて作られる。結局、いいかえると、國際法は、國家間の合意にもとづき、原則として國家間の關係を規律する國際社會の法律、なのである。

一 國際社會の法律

地球上、世界にはたくさんの國がある。その數は現在（一九五一年十月）八十ほどになつている（このうち六十國が現在國際連合に參加している）。これらの國々は孤立して存在し或は活動しているわけではない。相互に對立したり、競爭したり、協力したり、連合したりして、そこに複雜な、しかも緊密な國際的な交渉、國際的な生活が行われ、各國は相依存して存在している。今日世界の一隅に起つたことは、萬波を呼び起して世界の他の地域に影響を與える。このようにして、國内社會の場合ほどまとまつてはいないが、國際的ないろいろの關係や交渉が相互に關連し全體として一つにまとまつて、そこに國際社會としての共通の生活、活動が生ずる。これらの國際間の關係や交渉、あるいは生活や活動は、昔は主として政治的軍事的な分野にかぎられていた。それが、人類の歴史が進み人間の生活内容あるいは活動領域が豊富に且つ廣汎になり、したがつてまた國家の活動も廣く且つ深くなるとともに、經濟、社會、文化の領域に廣く及ぶに至つている。それとともに、昔の國際的な生活や活動は、對立とか競爭の要素が強くて共通の目的の下にまとまつて協力するという面が薄かつたが、最近（特に二十世紀以來）は後の點、つまり國際的な生活や活動に全體としてのまとまり、組織が目立つてきている。多數の國家から成り、それらがこのように相互に交渉し、共通に活動して社會を成していること、つまり國際社會が存することは、明かな事實である。ところで、このような社會の存するところ、そこにおけるいろいろな關係や交渉、生活や活動は、なんらかの規律をまつてはじめて可能である。そうでなくてはそれらは全く偶然的なもので、その特定の社會の關係とか交渉とか生活とか活動とかとして考えることはできない。これらの社會の規律は、その社會の成員、結局は個々の人間の意思の活動を規律するものであるが、それは因果法則と區別される當爲的なもので、規範と呼ばれ、この場合社會規範と呼ばれる。社會規範の中には道德や宗教や習慣の規範なども含まれるが、今日最も顯著な存在は法律規範である。およそ人間が集團的に共同生活をするところ、つまり社會のあるところ、その社會生活を規律する規範があり、そこに法律規範が存している（古くから、社會あるところ法あり、Ubi societas, ibi ius. というラテン語の格言がある）。社會生活の初期の段階では、比較的に宗教や習俗の規範の果す役割が大きく、法律規範は極めて幼稚なかたちで、あるいは他の規範と混淆したかたちで、作用しているに過ぎなかつた。社會が發達するとともに、殊に立憲國家、法治國家といわれ、民主主義國家といわれる發達した今日の國家社會においては、その社會生活の規律について法律規範の果す役割は極めて大きくなつている。國際社會も亦そのような社會として法の規律に服し法律規範をもつている。世界の各國家の相互の間の間係・交渉、あるいは共通の生活・活動は、多くが法の規律に從つて行われる。もとより國際間の關係が、習慣や道徳的な規範に規律される面も少なくないが、今日の國際生活における法の支配は極めて顯著である。そのことは國際社會の歴史的發展の過程を見ると一層明かで、特に十九世紀末、更には二十世紀に入つてからの國際社會に顯著な事實である。ここに國際社會における國際法がある。それによつて國家間の行爲が相互間に限界づけられて、それが權利義務の關係として現われ、全體としての國際社會の生活が法的に規律される。そこに全體として相關連し、かかるものとして一つのまとまりをもつた國際法秩序が把握され、そこに國際社會が一つの國際法團體として理解せられる。このように國際法は國際社會とともに存立し、それとともに發達してきている。それは國内社會や國内法のように十分に組織され統一されて高度に發達してはいない。しかし國際社會、國際法の、それ自體としての最近の、特に二十世紀に入つて國際連盟や國際連合が生れるに至つてからの發達にはめざましいものがある。國際法はこのようにして國際社會の法として把握せられる。

二　原則として國家間の關係を規律する

上に述べたことからも分るように、國際法は國際社會の法として國家間の關係を規律する。この國家間の間係を規律するのが國際法である。國家相互間のいろいろな關係や交渉、國家が相寄つてなすいろいろな生活や活動、これらが國際法によつて規律せられる。したがつてそれらのことは國際法上の法律關係となつて現われ、各國家は國際法上のいろいろな權利をもち義務を負つている。これに反して個人の關係、つまり個人の權利義務を規定するものではない。われわれの身近な憲法、刑法、民法、勞働法などいわゆる國內法は個人の法律關係、權利義務を規定しているが、國際法はそうではない。國際法の規定の內容は多くが直接間接または多かれ少なかれ個人の利益不利益に關するが、それに關しての國家の國際的な權利義務を定めるのであつて、國際法がただちに個人の權利義務を定めることは原則としてない。國家が特定の個人、とくに特定の自國民の利益を國際的に主張し爭うような場合もあるが、この場合もその個人の問題を國家が自分の立場から取上げて、自らの權利として國際的に主張し爭うのである。その個人が國際法上の權利を主張し爭うのではなく、また國家が代理人となり個人の立場や意思を代辯して國際的に個人の權利を主張し爭うのでもない。もとより國家の機關の地位にある個人の行爲を國際法上の權利義務關係として規律することは多いが、それは個人自身の行爲でなく國家の行爲を規律するものであること、したがつて國家の國際法上の權利義務關係を規定しているのであることはいうまでもない。このように國際法は直接には國家間の關係を規律する法律である。國家間の關係を規律の對象とし內容とする法律である。

しかしながら、右のことは「原則として」であつて。例外がある。個人や國際團體（いくつかの國家が組織されて一の團體となつたもの）についても、國際法は例外的に規律することがある。個人や國際團體自身が、直接に國際法上の地位權限を有し權利義務を有することがあるのである。國際法といえども人間社會の法として、結局は個人の利益や地位の規律を目的とするのであるから、個人に直接國際法上の權利義務を認めるという方法でその規律を果すことは考えうる。また國內法が個人（肉體をそなえた自然人）について規定するほか、財團とか社團とか會社とか多くの人によつてつくられた組織、いわゆる法人について直接權利義務を規定しているように、多くの國家からつくられる國際團體について直接國際法が權利義務關係を認めることは十分可能である。のみならずそれは今日實際にも存する現象である。ただ昔は國際法はもつぱら國家間の關係を規律していたといつてよい。個人や國際團體に關する法の發展は、十九世紀、特に二十世紀に入つてからの國際法に相當著しく見られるに至つた現象である。したがつて、國家間の關係の規律に比して例外的ではあるが、それらは國際社會・國際法の發達に伴う現象として注目すべき事柄なのである。

國際團體についていえば、國際的な河川や國際航空に關する國際委員會が若干獨自の國際行政的あるいは國際立法的な地位を國際法上認められている。しかし、重要なのは、國際連合（嘗ては國際連盟）を第一に、いずれも世界の多數の國を包含し、重要な機能を一般的に營む最近の諸種の國際機關である。一般的な廣い任務・權限を有する國際連合のほかに、それぞれの分野での任務・權限を有するものとして、國際連合教育科學文化機關（いわゆるユネスコ）、國際勞働機關（ILO）、國際通貨基金、國際復興開發銀行（以上二者は、ブレトン・ウッヅ協定によるもの）、國際貿易機關（ITO）、國際連合食糧農業機關（FAO）世界保健機關（WHO）などが注目すべきものである（國際連合の項參照）。いずれも多數の國を擁する全世界的な且つ常設的な組織で、獨自の憲法的規定（憲章）を有し、自らの各種機關（總會、理事會、事務局など）・職員を有し、それらにより獨自の權限を行使し任務を遂行している。これらのことを規定しているのは國際法であつて、このようにして國際法は多くの重要な國際團體の地位・權限を定め、その權利義務關係を定めている。二十世紀に入つて以來、とくに第二次大戰を契機として數多く現われたこれらの國際團體は、國際社會が組織化されてきたことを意味するもので、昔からあつた一時的な國際會議や、二三の國の軍事的政治的同盟關係や、あるいは比較的最近生じた行政技術的な國際間の協力組織と異なり、それらを超えた規模と質を有する。國際法はこのような國際團體の地位・權限を定め（國家の組織や權限は原則として國內法、なかんずく憲法の定めるところであつて、國際法はそれを規定しない。しかし國際團體についてはその對外的な關係とともに、その內部的な組織や權限は國際法の規律の對象となる。それは最も緊密な且つ重要な國家間の關係・交渉であるともいえる）、その國家や他の國際團體に對する對外的權利義務關係を規律している。その構成員である國家に對する拘束力は、國家がその構成員に對するように强いものではないが、つまり國家などに比べたら國際團體の獨自性は弱く、組織化の程度も低いが（それでも國際連合などは或る範圍で所屬國家に獨自の決定を課すことがあるし、また手續的・組織的事項では多くの國際團體が所屬國家に對し獨自の規律を課しうる）、國際社會にこのような國際團體が成立するに至つたこと、いいかえれば國際社會がそれだけ組織化されるに至つたことは、國際社會、國際法の重要な發展として注目されるのである。

次に個人についていえば、一九〇七年の條約で設けられた中米司法裁判所や、ヴェルサイユ平和條約その他前大戰の平和條約で設けられた混合仲裁裁判所において、個人は條約および慣習國際法上の利益を、或は敵國政府に對する一定の賠償請求を、國際法上の權利として自ら確保し得ることとされた。一九〇七年のハーグの平和會議で作成された國際捕獲審檢所設置條約案は、個人とくに中立國民の戰時の海上通商に關する利益で交戰國の捕獲審檢所で十分保護せられないものを、國際的な法廷で個人自ら國際上の權利とし主張し得るものとした。これらの場合に、個人はその所屬國の政府の立場や意思とは獨立に、自らその利益を國際法上の權利として相手國政府に對し主張し確保し得るのである。國家が個人の利益を自らの立場から自己の國際法上の權利として國際的に主張し爭うのとは場合を異にする。以上に擧げた例は現存はなくなつており、あるいは案に止まつたものであるが、今日あらためて個人の基本的人權の尊重・保護が、國際連合憲章、イタリアその他今次大戰における歐洲五國の平和條約(日本やドイツに對する休戰文書も同樣)その他の重要な國際條約に規定されていることは特に注目に價する。一世紀半前に、アメリカ合衆國の憲章やフランス革命の憲法、及びその後それに倣つた各國の憲法、つまり國內法によつて國內社會において、自由權、參政權などの個人の基本權が確保されたのが、駸々たる人類の歷史的發達の過程において、第二次大戰を經て、國際社會、國際法の上で今や確保されようとしているのである。もとよりこのような個人の重要な權利が眞に國際法上の權利として確保されるためには、一段と國際社會が組織化されなければならない。しかしまたこのように個人の基本的人權の保護が國際條約の規定となり國家間の義務とされること自體國際社會の組織化が進み、國際法秩序が發達したことを意味する。一方個人の責任とか義務とかも、普通國內法で規定し國家が單獨に追求するのと違つて、國際法上直接に規定し國際的にそれを追求する場合も生じている。廣くは昔からある海賊の處罰や戰時法規違反者の處罰もそうであるが、今日最も重要なのはいわゆる戰爭責任者、戰爭犯罪人の處罰である。個人の義務・責任が國際條約に基き、個人に主體的地位を認めつつ、國際的な法廷で追求され處罰されている（それは同時に國際法における戰爭の理論の變革、いわゆる侵略戰爭の觀念という他の重要な問題と結びついている）。もとより個人の責任・義務が眞に國際法上の義務として規定せられ、國際的にその責任が追求されるためには、やはり國際社會の一段の組織化が必要であるが、個人の責任の追求・處罰が直接國際條約に規定せられ遂行されることは、國際社會の組織化、國際法秩序の發達として考うべきことである。現在、いわゆるジエノサイド條約によつて人道的な國際犯罪の規定及び處罰が意圖されていることはこれと關連して注目すべきである。このほか今日信託統治地域の住民が信託統治國からは獨立にその地位について直接國際連合に請願することを認められたり、個人がその通商上の利益について國家を一種の代理人として（卽ち國家が自らの立場、自己の國際法上の權利としてでなく）國際貿易機關に訴願できるようにされようとしているのは、いずれも、國際法が直接個人の權利義務關係を定める場合として注目すべきである。

以上のように、國際法は原則として國家間の關係を規律するが例外的に、しかし注目すべき重要な意味をもつて、國際團體および個人の國際的な關係を規律している。それは特に國際社會、國際法の發達の見地から注目されるのである。ところでこのように、國家、國際團體、個人がいずれも國際法上權利義務關係を定められることがあるが、一般に權利義務を歸屬せしめられるものが法律上の人格を有するとせられ法律上の主體と呼ばれるように、それらは國際法上の人格を有し、國際法上の主體であるといい得る。その中で國家は國際法上の權利義務を一般的に廣く有し或は有しうる（いわゆる主權國家、獨立國家といわれるもの、占領管理下にある日本やドイツは過渡的にではあるがそのような地位を失つている）が、他の國際團體や個人はそれぞれ憲章その他の國際條約に基いて、しかもそこに認められている範圍で國際法上の權利義務を有し或は有しうるのである。その意味でも、國家は原則的な國際法上の主體であり、完全な國際法上の主體である。これに對して、國際團體や個人は廣狹の差こそあれいずれも制限的な國際法上の主體というべきである。

三 國家間の合意に基いて作られる

國際社會において原則として國家間の關係を規律している國際法は、それらの國家間の意思の合致にもとづいて成立する。もとより統一的な國家組織（議會などの立法組織）を通じて作られる國内法のように、國際社會の統一的な組織を通じて作られるのではない。國際社會には國家の場合のような統一的な立法組織はない。したがつて各國家の意思はそういうように統一的に組織されることなく、個々に、その場合毎に、合致を求めることによつて、そこに國際法が作られて行く。もつとも、今日、とくに二十世紀になつて國際連盟、國際連合ができるようになつてからは、國際立法もいくらか組織的に行われるようになつた。それは國際社會、國際法としての著しい進歩である。が同時に、國家の立法の場合に比べると、その統一性・組織性は、甚だ後れている。このように、國際法は國家間の合意にもとづいて成立するが、その合意には明示的なものと默示的なものとがある。前者は條約として成立し、後者は慣習法として成立する。つまり國際法は條約と國際慣習法とから成る。法律を現實に成立させるみなもととなる形式を法の淵源 source と一般に稱するが、條約（文書）と國際慣習は國際法の法源であるということができる。國際法においては、慣習法が重要な部分を占める。それは國際社會における國際法の立法が右のように組織的に行われない事實からくる。國内法の場合に明文の立法が原則的地位を占め、慣習法が例外的に認められるのと甚だ異なる。一般にいつて、慣習による法の成立が明文による法の制定より後れた立法樣式であることを考えると、國際立法はまだ未發達であるといわなくてはならない。もつとも十九世紀末から、殊に二十世紀に入つて國際連盟、國際連合の時代になつてから、重要な國際法が條約として作られることが非常に多くなつた。國内法の場合と比べるとその違いはまだ大きいが、このことは國際社會、國際法の著しい進歩である。國際法はまた統一的立法組織が極めて不十分な結果として、國際社會全體を一律に規律する法として成立しにくい。二國間、數國間、多數國間、一般國間、というように、またそれぞれの場合にも國家の取合せが無數に變化して、廣狹の範圍を異にする無數の國際法から成つている。國際法は統一的組織的立法でないために、自ら合意した國でなければ法としてそれを拘束しない。つまり當事國に對してでなければ法としての效力を持たないからそうなるともいえる。このことは條約についても國際慣習法についても同じである。二國ないし少數の國家を當事國とするか、世界の多數ないし全部の國家を當事者とするか、にしたがつて、特別國際法、一般國際法、と分類することができる。國内法の場合と比べるとおかしなことで、國内法が憲法にしろ民法にしろ刑法にしろ勞働法にしろ、國民全部に適用されることからいえば、一般國際法だけが眞に國際法というべきである。それが特別國際法も亦（しかもそれが大多數である）國際法に屬するとせられるのは、國際社會國際法の特質によるものである。はじめにいつたように、國際社會の組織化が不十分なことによるのである。したがつて二十世紀に入つて國際社會の組織化が進むにつれて、一般國際法が增加していることも事實である。右のことから、條約について、二國間條約、多數國間條約、一般條約などに分けることができる。條約には、特定の國の間だけに限らず、後から自由に或は一定の要件の下に、他の國が一般に參加しうることを豫め規定しているものがあるが、これは最初の條約當時國は少數であつても一般條約に屬するというべきである。この種の條約は開放條約とよばれる（そうでないのが閉鎖條約とよばれる）。最近は多數國間條約、一般條約が著しく增してきたが、その中にはこの開放條約が非常に多い。國際連合憲章、國際司法裁判所規程、ユネスコ憲章その他前項に擧げた各國際團體の憲章など、最近できたものはみな多數の國を當事者とし、開放條約であり一般條約である。國際慣習法についても、同樣な區別ができるのであるが、性質上比較的一般國際法に屬するものが多い。その意味からも、國際法では慣習法の重要性があるのである。

國際法が國家間の合意にもとづいて作られるということについて、最後に注意しておかなくてはならないことは、國際團體自體が國際法を作る場合である。單なる國際會議の場合はもとより、國際團體であつても加盟國を拘束する意思決定をするには、各加盟國の承認を得ることを要するのが原則である。少なくともいままではそうであつた。今日でもそれが原則であることには變りないが、國際連合では一定の場合一部の代表國により（卽ち安全保障理事會における强制行動の場合）、しかもその多數決により、爾餘の一切の加盟國を拘束する決定を、その同意なしに行いうることとなつた（このようなことは前の國際連盟にはなかつた）。憲章の改正についても同樣のことがいえる。その他、國際連合に限らず先に擧げたような各種の國際團體、また國際委員會などでも、組織法的なこと技術的手續的なことについては、多數決で加盟國一般を拘束する意思決定をその團體として獨自に爲しうる。これらも極めて限られてはいるが一種の國際立法、國際法を作ることにほかならない。

のみならず、以上のように國際團體内部での立法としてでなく、國際團體が他の國家や國際團體との間に條約を結ぶことも今日目につく現象となつた。國際連合は制裁のための軍事力を確保するために加盟國との間に軍事協定を結び、他の各種の國際團體との間にそれぞれの目的に應じて協力して任務を果すための協定を結ぶことになつている。國際連合以外のユネスコその他の國際團體も、國際連合その他とそれぞれの目的に應じて協力して任務を果すための協定を結ぶことになつている。これらの中、軍事協定は一つもできていないが、協力の協定は先に擧げたいろいろの國際團體と主として國際連合との間に現在までに一〇成立している。

このように、國際團體自らが國際法を作ることがある（このことは、重要性は少いが、條約の場合ばかりでなく、國際慣習法についても同じである）。そうして見れば、國際法は國家間の合意にもとづいて作られる、ということも「原則として」と制限すべきかも知れない。ただ、國際團體自體が國際法を作る場合は極めて限定されていることのほか、それがそれぞれの國際團體の基本的憲章である國際條約にもとづいて最も組織的に行われる國家間の合意であるともいいうるので、一おう、國家間の合意にもとづいて、というに止めた。

なお、前の項で、國際法上の權利義務を有する、いわゆる國際法の主體として、國家のほか、國際團體と個人を擧げたが、この場合個人は國際法を作るものではない。今日、世界勞働組合連盟、國際協同組合同盟、國際農業生産者連盟、アメリカ勞働總同盟、國際商業會議所、萬國議員同盟、萬國キリスト敎勞働組合連盟、國際連合協會世界連盟というような民間團體（個人の地位に準ずべき）があつて、それらが先に擧げた國際團體との間に一種の取極を結ぶ場合があるが、これを條約、つまり國際法と見うるかはなお疑問である。とにかく個人は一般的にいつて、國際法を作る地位にない。

以上のような、國際法を作りうる地位にあるものを國際法の主體という場合もある。外交使節を交換し、外交交渉をし、條約を結びうる能力、即ち外交能力を有するもの、ということもできる。この場合の國際法の主體は、前項で述べた國際法上の權利義務を有するという意味での國際法の主體と區別して、國際法上の能働的主體といい、これに對し前項の場合を受働的主體ともいう。したがつてこの國際法上の能働的主體には、個人は除かれて國家と國際團體がこれに屬する。かつ以上述べたところから明かなように、國家は國際法を作る能力を一般的に有する、いいかえれば外交能力を完全に有するのを原則とするが、國際團體はその基本となる國際條約にもとづき且つそれが認めている範圍內でそのような能力を有する。つまり國家は原則として完全な國際法上の能働的主體であるが、國際團體は制限的な國際法上の能働的主體である、ということになる。

以上において、國際法がいかなるものであるかを明かにした。結局、國家間の合意にもとづき、原則として國家間の關係を規律する、國際社會の法律である、ということになる。次に、なお、國際法に關して問題となる重要な點を二三附け加える。

〔國際法は法といえるか〕　このことは古くから學者の間でも意見が分れた。今日でも一般の人（或は政治家、軍人など）の間では、國際法は法といえないのではないか、無力な一片の反古ではないか、という考えが散見する。これはわれわれ身邊の法律が主として憲法、民法、刑法、勞働法などの國内法であるところから、それしか眼界におかないで國際法をそれと對比するところから陷り易い誤りである。なるほど國内法を見ると、議會で立法され、それが行政官廳や裁判所の手を通じて一樣に國民に適用され、必要な場合强制せられる。そのために監獄の設備や强制執行の制度もある。國際法にそのような確實なところがない。それでも法といえるだろうか。およそ法とは、一定の行爲をなすべきこと或はなすべからざることを要求し、それが守られないときは、一定の效果を認めず或は一定の制裁を課して、强制的に本來要求するところのものが實現せられるべきものとするのである。國内法については典型的にこのことがあてはまる。しかし、國際法も一定のことを定め、それに從わない國家があるときは、その國家の行爲に本來國際法が與うべき效果を認めず、或は謝罪を求め、賠償を要求し、責任者の處罰を求め、違反行爲の取消を要求し、一定の場合には、國際調停、國際裁判に訴え、進んでは强力を用いて復仇、戰爭などの手段をとりうることになつている。そこに强制せらるべき法（規範、當爲としての法）としての國際法があるのであり、實際にも强制が行われてきている。ただ、先にも述べたように、國際社會、國際法秩序の發達が不十分なために、その統一性・組織性が十分でなく、その法としての性質が十分確實なかたちで目に止まらず、實際に實現されるところも不確實なところがあるわけである。その意味で、國内法との相違は確かにあるのであるが、同時にそれは先に述べたような、國際法の法としての性質を否認するものではない。否、二十世紀に入つて、國際社會にも國際連盟、國際連合、國際司法裁判所などが現われ、國際法秩序に組織的制裁などが具現するとともに、國際法の法としての性質も次第に確實さを示してきているのである。

〔國際法と國内法の關係〕 既に所々で言及したように、國際法と國内法は同じ法でありながら相當違つたところがある。一方は統一され組織された社會の發達した法であり、他方は統一も組織も不十分な社會の未發達な法である。ところがこの二つの法は無關係に別々に存在し効力をもつているのではない。二つの全然別個の社會の法は相互に無關係といい得ようが、國際法と國内法は別々の社會の法であるが、國家を通じて相互に關係している。そして國際法は一國内のことは原則として國内法の自由な規律に任している。國際法が何も規定してないことについて、國家が自由に國内法で規律するのを認めるのは勿論であるが、國際法が國家をいろいろと義務づけている場合にも、その義務を國内的にどのように履行するかは、原則として國家が主權にもとづいて自主的に國内法上處置する。この關係を最も論理的にいうと、國際法が上位にあつて國内法が下位にあるといわれる(國際法上位說)。甲國の法律は甲國についてのみ効力を有して乙國に効力を及ぼし得ず、乙國の法律は乙國にのみ効力を有して甲國に効力を及ぼし得ないのであるが、このことは甲國或は乙國の法律、つまり國内法が最終的に定めうることではなくて、それは正に甲國乙國を同時に拘束する國際法の規律するところでなくてはならない。國内法は結局において國際法の下においてその効力を有する。即ち國際法と國内法とは體系的に同じ法に屬し(一元說)、その中で國際法が國内法の上位に位する。國家を拘束する國際法の存在を前提する以上は國内法上位説を唱える者は今日なく、両者の論理的連關をつきつめれば一元説に落着く。このことは國際法が國内法に比べて後れた法律であるという現實の認識にかかわりない論理的な歸結である。この點は實際の法律の定めを見ても分る。英米その他中南米諸國の憲法は一般に國際法が最高の國内法に屬することを定めている。最近のフランス憲法（一九四六年）や日本國憲法（一九四七年）、西ドイツ憲法（一九四九年）も同様な主旨の規定を有する。このような憲法上の整備、憲法の國際化ともいうべき現象は、國際社會の組織化、國際法秩序の發展として考えうべきである。

〔國際法の體系〕 國際法はどのような範圍に亘つて規定しているか、國際法の規定の内容は全體としてどのようなものを含むか、それらの數多くの國際法の規定は、無秩序に存在するものでなく、全體としてまとまりをもつて、つまり體系を僞して存在している。國際法の項で述べたことは、いわば國際法の總論である。國際法の個々の數多くの規定は、それとの關連で存在している。それは各論ともいうべく總論と合して國際法の全貌をなしている。ここではその各論的な規定のあらましを體系として述べる。從來國際法は平時國際法、戰時國際法と分けられることが多かつた。これは必ずしも理論的な把握のしかたでなく、また誤りやすい把握のしかたでもある。

既に説明した國際法の性質から明かなように、國際法においてその主體が重要な意味をもつ。そこで國家だとか、國際團體だとか、あるいは直接國際法上の權利義務を有するかぎりにおいて個人についての、國際法規が說明される。國家の成立（國家や政府の承認）、權利、義務、消滅、國際團體、とくに國際連合の性質、成立、機關、任務、權限、主體としての個人の權利義務などが扱われる。

國際法は右のような主體についての或は主體の間の法律關係、權利義務關係を成すものであるが、その際その權利義務關係の內容、對象が次の問題となる。國際法の客體といつてもよい。この客體を具えるものは主として國家であつて、地的なものと人的なものに區別することができる。領土、領海、領空、國際地役、國際的な河川・運河、信託統治地域、公海に關する國際法規が說明せられ、國民や外國人の地位、それに準じて船舶・航空機の地位、外交使節、進んで國際團體の職員などが扱われるであろう。

次に以上のような國際法規が動的に成立、變更、消滅する面が取上げられる。國際法律行爲、國際不法行爲ということができる。條約の當事者、締結權者、成立、效力、消滅、國家責任などに關する國際法が扱われる。國際團體の條約締結、國際團體及び個人の國際責任なども扱わるべきであろう。

以上は國際法上の權利義務關係の主として實體的な面である。この權利義務關係の終局的な實現には手續的な國際法規、國際法制度がなくてはならない。それが國際紛爭の處理として最後に現われる。國際紛爭の處理の方式には平和的なものと强力的なものとがある。前者には國際調停や國際裁判など、後者には復仇、戰爭、制裁などがある。國際連合の紛爭處理方式、同じく制裁組織、國際司法裁判所の機能などがここで扱われる。戰爭、したがつてまた中立に關する國際法規は、古來國際法の極めて大きな部分を占めたが、それは根本的な再檢討を受けつつなお扱われるであろう。

以上で國際法の體系は完結する。

〔**國際法の歷史的發達**〕　近代の國際法は、中世の宗教的封建的統一的世界が崩壞して近代社會としての國際社會が出發したところに發祥する。いわゆる宗教戰爭、三十年戰爭が終結した一六四八年のウェストファリア條約のころがその時點といえる。國際法の父といわれるオランダ人グローチウス Grotius (1583—1645)はこの時代を代表する。それは文藝復興・宗教改革を通じての個人の覺醒、自由平等の意識によつて歴史的に切拓かれた時代である。國際社會は君主を中心に富强を競い、相互に交渉し爭う幾多の近代民族國家によつて形成され、そこに國際法が次第に成長した。一世紀半の後、アメリカ合衆國の獨立(一七七六年)やフランス大革命(一七八九年)を契機として、中世秩序に對立して成立した初期の多かれ少なかれ專制的絕對的君主國家であつた多くの近代國家は、いずれも基本的人權の承認に立脚する民主主義的な憲法と政治機構をもつ國へと變貌していつた。これまた近世史を貫く個人の覺醒、自由平等の意識に導かれたものといわなくてはならない。ただなお國際社會においては、このように民主主義化した近代國家も專ら對外的には獨立主權國家として競い爭つて、國際法の發達も遲々たるものであつた。この人間社會の歴史的發展が國際社會の面にもおのずと現われて來たのは十九世紀後半であつた。產業革命、それにつづく資本主義經濟の發展とともに國家主權が民主主義的に緩和されるにつれて、解放された個人の活潑な社會的活動は、自ずと國境を越えての交渉を豐かにし、國家もまた自らの主權を制限して對外的協調の道を追わざるを得なかつた。經濟、社會、文化の面で國際間の交渉、條約の成立などが著しくなつたのはこの十九世紀後半である。そこに當然國際法の發達が見られ、その傾向は二十世紀に入つて、國際連盟、國際連合の時代を招來して決定的となつた。人間の社會活動の個々の領域における國際交渉、國際組織、國際條約は、いまや强化され綜合されて、次第に一つに組織化された國際社會を實現せしめるに至つた。一つの世界、進んで世界國家—それは古來大政治家、哲人の恒久の平和の夢想に繰返し現われたのであるが—は現實に足がかりを得て世人の現實的論議の對象となるに至つている。最近の國際法の發達はこの歴史的發展に伴つた現象である。それは、國際法の發達もまた人間社會の法として、個人の覺醒、自由平等の意識に歴史的に裏付られるのであり、國際社會の組織化はそこにおける個人の地位の向上强化と相俟つてのみ眞に考え得べきことを明かに教える。それなくしては國際的專制（十九世紀はじめの神聖同盟の例）か國際的無政府に歸着することは國內社會の場合とかわらない。國際連合憲章、ユネスコ憲章、その他最近の重要な國際條約の規定を通じて、それらが國際社會を組織化するとともに、個人の地位を强化するものであることを知る。個人が直接國際法の主體となる現象も結局はそこから理解されるのである。個人が嚴格な意味で國際法の主體となる場合でなくても、十九世紀後半以來見られる幾多の國際組織、國際條約が、各國家の國際行政を通じて個人の利益・地位を全般的に確保强化することを主眼としていることは今日に至つて益々蔽うことのできない現象となつている（これらの國際條約が世界法として把握されることがある。このような法律が各國家の主權的介入を認めずに直接個人に適用される社會が世界國家として考えられる。そしてその法律が別に眞の世界法として考えられる）。一世紀半前の國家社會において制度的に具現された民主主義ということが、組織化の段階に入つた今日の國際社會にも考えられるに至つているが、その場合同時に人間個人の問題にまで及ぶこの根源をかえりみなくてはならない。カントはその永久平和論において世界連邦の要件として第一に民主主義國家の存在を擧げている。以上のことは今日の國際法の理解と明日の國際法の追求に忘れてはならないことである。

二 國際連合

國際連合は第二次世界大戰を契機として成立し、世界の大多數の國(一九五一年一〇月現在六〇國)によつて組織された、國際平和の維持と國際協力の達成を任務とする國際團體である。全世界の國を包含することを主旨とすること、およびその目的任務の點から一般的國際平和機構といえる。國際社會が組織化されたものといつてよい。

〔國際連合の歴史的意義〕 國際平和思想・組織に關する企圖は人類の歴史とともに古い。人類および人間社會の歴史的發展は、これを社會學的に見るとき鬪爭と協力の二要素に依存しているといえる。それは社會團體の成立および發展に對して、內部的、外部的な契機として相關聯して作用していると論理的にいいうる。社會の發展はこの二要素の相互的な機能を通じて求めることができよう。鬪爭に充ちた往時の國際社會においても、否、鬪爭に充ちていたればこそ、國際平和組織に對する顯著な思想と企圖とが見られる。ピエール・デュボワ(フランス人、十三世紀後半)、ボヘミヤ王ボディエブラード(宰相マリニ、十五世紀後半)、エメリック・クリュセ(フランス人、十七世紀前半)、フランス王アンリ四世(宰相シュリー、十七世紀前半)、ウイリアム・ペン(イギリス人、十七世紀後半)、サン・ピエール(フランス人、十八世紀前半)、カント(ドイツ人、十八世紀後半)などの政治家、哲人によつて國際平和組織が構想された。それらは古いものから新しいものへと漸次宗教的要素を脫し、また範圍を歐州以外にもひろげるとともに、一般に各國代表から成る中央機關としての會議、國際紛爭解決のための裁判所を考え、或は武力的制裁手段を考えた。そしてナポレオン戰爭の後には神聖同盟が、第一次大戰の後には國際連盟が、そしていま國際連合が成立するに至つた。歴史の必然の過程ともいうべきである。そこに人類社會の發展が探られ、またそれを通じてその發展が試みられなければならない。近世の國際社會は、中世的秩序が崩壞したあとに成立した數多くの民族國家によつて形成された。それらの國の間には、そのときどきの交渉、競爭、同盟、戰爭があつたが、一般的に且つ恒久的に協力することはなかつた。つまり國際社會は組織されていなかつた。いわば國際的に無政府的な狀態であつた。そこに國際法の存在は考えられていたが、中世的秩序から解放されて成長しはじめたばかりの各國の獨立、主權がもつぱら强調された。共同の生活が意識せられず、共同の活動が行われなかつた。このことは多くの國が十八世紀から十九世紀にかけて民主主義的な國家に成長しても變らなかつた。國內組織は近代化されても國際的には準自然狀態がつづいた。一部の强國の間にある程度の組織ができ又は共同の活動が行われたに過ぎない(神聖同盟、歐州協調)。しかし各國、各國民の間に力强く進展した十九世紀の政治的、經濟的、文化的な發達は、同時代の交通通信技術の飛躍的發展と相俟つて各國の接觸を緊密にした。國際協力の必要が自覺せられ國際連帶の意識が生じた。十九世紀後半に經濟、社會、文化、交通、通信などの各國の分野に數多くの國際條約が結ばれ、國際組織が設けられるに至つたのはそのおのずからの歸結である。この個々の行政的技術的な國際協力によつて、確實な國際社會の組織化が歴史的軌道に乘りはじめたが、それは二十世紀に入り第一次大戰を契機として國際連盟という綜合的な一大組織を生むに至つた。それまで人間活動の個々の領域に行われていた國際協力は、戰爭防止・平和の維持を中心目的とする國際連盟に綜合されて、國際社會は全體としての組織化の段階に入つた。この綜合的機能を有する國際組織、それによつて戰爭を永久に防止しようとするこのような試みは、人類の歷史最初のものである。これは二十世紀において人類の達した段階である。そしてこの國際連盟が内外の諸種の原因から無力化するとともに、第二次大戰を經て更めて國際連合が生れたのである。それは國際連盟と本質を同じくし、それを改善し發展せしめたものであるが、このことは國際連合の中に人類の、また國際社會の動かし難い歷史的主流の動向を認めしめる。人間社會の歷史的發展を裏付けとする十九世紀後半以來の國際社會の組織化の過程においては、それと相表裏して國際條約・國際組織を通じて個人の地位が認められ高められてきたが、それは國際連盟を經て國際連合の時代に至り、基本的人權の國際的確認・保護を中心として明確な歷史的動向となつた。それは一世紀半前の近代國家社會における民主主義的政治機構の發展と歷史的意義を通ずるものというべきである。國際連合は國際平和組織を一歩でも前進せしめようという人類の長い歷史的努力の所產である。それは世界國家とは異なるが、その觀念が人類の夢想でなく、現實の足がかりを得たところに、とくに國際連合によつて代表される今日の國際社會の特質がある。それはまた、今日原子爆彈の脅威に曝されて、次の戰爭の可能性に死活の運命を賭けている人類の願いに、その現在の機能と將來の發展を嚴しく見守られているのである。

〔國際連合の特色〕 歷史的意義として述べた點、殊に個人の基本的利益、權利の國際的確保は平和機構としての國際連合の特色であるが、一般的國際平和機構として國際連合は一般にどのような特色を有するか。

第一に、世界のほとんどすべての國を包含していることである。主要な國家は全部含んでいるといつてよい。現在六〇國を包含し、他に加入を希望し申請した國は十數國に及ぶ。現在の世界の國のほとんど全部が國際連合に加入し又は近く加入しようとしているわけである。アメリカ、ソ連、イギリス、フランス、中國などの大國はみな參加している。國際連盟が成立當時に米ソの二大國を缺き、その後も大國が揃つて參加することがなかつたのに比べて注目される。これは米ソの對立をそのなかに含むとはいえ國際連合の一般的平和機構としての特色であり强味である。

第二に、それぞれの任務を有する三つの理事會を有することである。國際連盟は總會と理事會とを有し、その各々が連盟の一般的な任務を遂行したが、國際連合は一般的任務を有する總會の他に、特に平和維持を任務とする安全保障理事會、經濟的社會的協力の達成を任務とする經濟社會理事會、信託統治の監督を行う信託統治理事會の三つをおいた。そしてそれぞれの理事會はそれぞれの任務に應じた權限と構成を有し、國際連合の他の機關とも協力して、國際連合の全體としての有機的活動を推進することになつている。これは國際連合の特色であり長所である。

第三に、安全保障理事會に優越的地位を與え、それを中心として强力な戰爭防止方法を設けていることである。平和維持は國際連合の平和機構としての最大の眼目であるが、その任務は總會にも優越して安全保障理事會が第一次的に擔當している。そうしてこの理事會は實力のある比較的小數の大國によつて構成せられ多數決によつて有效に行動し、しかもその決定は少なくとも强制行動に關するかぎり國際連合の全加盟國を拘束することとなつている。このような强い權限は、總會や他の理事會には認められていない、しかも安全保障理事會は各國との間に軍事協定を結んで（目下未成立）豫め强制行動に使用すべき武力を組織し、その管轄下の軍事參謀委員會の援助をうけてその運用に當ることになつている。このように强力な安全保障理事會の構成と權限およびその下における組織された武力的制裁手段により今までにない强力且つ組織的な戰爭の防止方法を備え、國際連合の中心的目的である平和の維持を最も確實に實現しようとしている。これらの諸點は、國際連盟のそれを改善强化したもので、國際平和機構としての國際連合の生命ともいうべき點にあたり、非常な特色というべきである。

第四に、全面的に多數決制度が採用されていることである。これは國際連盟が全會一致主義を採用したのに對し、著しい進歩である。合議體が有效に且つ民主主義的に機能を果しうるために、多數決は不可缺な原則である。總會、三理事會のそれぞれで若干の差異はある。とくに安全保障理事會の拒否權（後述）の存在は、實質的にいつて多數決制度の例外をなすもので、いろいろ問題となつている。いずれにしても國際平和機構として一般的に多數決制度を採用したことは劃期的なことである。

第五に、大國に優越的な地位が與えられていることである（いわゆる拒否權の問題を中心として）。この場合、大國というのはアメリカ、ソ連、イギリス、フランス、中國の五國である。この五大國は安全保障理事會において、他の六理事國が選出による非常任の地位を有するのに止まるのに對し、常任の地位を有し、しかも十一理事國中の七國の票で成立する安全保障理事會の決議において、五大國の票がそれに含まれていなくてはならない。この後の點は五大國に屬する國のいずれもが、他に七以上の一致した投票がある場合にも、自己一個の反對（棄權、不參加については問題がある）によつて、その決議の成立を拒否しうることを意味する。いわゆる拒否權である。しかもこの安全保障理事會が國際連合で最も重い任務と强い權限を有することと前述のとおりである。そうして見れば五大國の國際連合における地位は、他の加盟國に比して極めて優越しているといわなくてはならない。國際連盟でも、總會のほかに大國からなる理事會が重要な役割を果し、また常任理事國の制度もあつたが、この常任理事國の數は動かしうる餘地があり、況やそれにのみ特に拒否權が認められるというようなことはなかつた（全會一致の原則の關係上）。この安全保障理事會以外でも、國際連合憲章の改正その他で五大國に優越的な地位が認められ、要するに國際連合は大國の實力を重視し現實の處理を第一にする、いわば大國主義・現實主義に立つといわれている。

その他にも特色を擧げ得ようが、最後に地域主義を採用していることも一つの特色といえよう。國際連盟も消極的には認めていたが、國際連合は地域的な協定や機關を安全保障理事會の監督の下に、地域的な紛爭の處理或は侵略に對する强制行爲のために、積極的に認めて利用することにしている。これは地域的な秩序の特質を一般的秩序との有機的連關の中で生かそうとするもので、國際連合の平和機構としての特色といえる。もつとも政治情勢のいかんによつて、國際連合が認める集團的自衛權と關連して、この地域的協定や機關は、國際連合の統制を弱化する可能性が考えられる。

〔國際連合の成立〕 國際連盟崩壞の後をうけて、第二次大戰後により完全な一般的國際平和機構を設けなくてはならぬということは、戰爭中から連合國側、特にアメリカの朝野において熱心に唱えられ、研究せられた。一九四三年十月末日モスコーにおける米・英・ソ・華四國の共同宣言の一節中に始めて公式にその設立が聲明せられた。それが一九四四年の八月から十月にかけて、アメリカのダンバートンオークスにおける右四國の會議で起草が行われ、翌一九四五年四月から六月に亙るサンフランシスコ會議で一九章一一一條から成る國際連合憲章として成立した(六月二十六日)。この會議には連合國五〇國が參加、調印した。そして第二次大戰の戰雲全く收まつた同年十月二十四日に效力を發生、翌一九四六年一月十日、ロンドンに連合國五一國の代表二百數十名を集めて華々して第一回總會を開いた。各理事會も成立し直ちに活動を開始した。

〔國際連合の目的及び原則〕 目的の第一は平和と安全の維持である。そのために平和に對する脅威の防止と除去を計り、侵略行爲その他の平和破壞行爲を抑壓するために集團的措置をとり、また平和を脅かす紛爭や事態を平和的方法をもつて解決せんとする。第二には、經濟的・社會的・文化的問題のための、國際協力の達成を目的とする。それに關してはまた人權と自由の尊重を促進するために國際的協力を實現せんとする。これらの目的を達成するために加盟國の主權平等、憲章の義務の忠實な履行、紛爭の平和的な處理、兵力使用の制限、國際連合の行動の援助、非加盟國の協力の確保、加盟國の國內問題への不干涉を原則とする(國際連合憲章前文・第一・二條)。

〔國際連合の加盟〕 國國際連合成立當初からの加盟國、即ち原加盟國は、第二次大戰における連合國である(第三條)。その數は五一國である。後から加入する加盟國は一定の要件及び手續のもとに認められる。卽ち憲章の義務を受諾する平和愛好國たることを要し、安全保障理事會の勸告と總會の決議を經て加入が認められる(第四條)。現在までに九國(アフガニスタン、アイスランド、スエーデン、シャム、イエーメン、パキスタン、ビルマ、イスラエル、インドネシア)の加入が認められ、他にも加入を希望或は申請している國は十數國に及ぶ。安全保障理事會における拒否權のために加入が容易に認められない。戰爭防止措置の對象となつた加盟國は加盟國としての地位を停止されることがある(第五條)。憲章の原則に繰返し違反する加盟國は除名されることがある(第六條)。この除名にはやはり五大國の拒否權が作用することに注意を要する。脫退の規定はないが、サンフランシスコ會議の聲明で、止むを得ない場合に認めることにした。脫退の規定のあつた國際連盟より、脫退しようと思えばより容易に行われるおそれがある。

〔國際連合の機關〕 主要機關として總會、安全保障理事會、經濟社會理事會、信託統治理事會、國際司法裁判所、及び事務局の六がある(第七條)。

(一) 總會 General Assembly　總會は全加盟國をもつて組織せられる(第九條)。一年に一回定期の會合を開く。必要に應じて臨時に特別の會合を開く(第二〇條)。その任務・權限は憲章の定める事項一般に及ぶ(第一〇條)。ただし討議と勸告の機能を有するに止まり、決定や執行は行わない。とくに平和と安全の維持については、安全保障理事會が第一次的責任を有し(第一一・第一二・第二四條)、且つ決定と執行の權限をも有する。表決は一般には投票數の單純な過半數で行われるが、重要な問題は三分の二の多數決で行われる(第一八條)。

(二) 安全保障理事會 Security Council　アメリカ、ソ連、イギリス、フランス、中國の五常任理事國と、他に選出による六非常任理事國の計一一國をもつて構成せられる。非常任理事國の任期は二年で、毎年三國づつ改選される。總會において三分二の多數決で選出される。再選は許されない(第二三條)。繼續的に活動することを主旨とする(第二八條)。國際連合の中心的任務である平和と安全の維持を擔當する。そのための第一次責任を有し、決定と執行の機能を有する。全加盟國を代表して行動し(第二四條)。加盟國はその決定に拘束せられる(第二五條)。この理事會の下にある軍事參謀委員會の援助を受けて軍備統制案を作る(第二六條)。表決は、一定の手續事項(第三二條以下)は七票の贊成投票で行う。即ち一種の多數決である。その外の總ての事項はやはり七票で行うが、その中には五常任理事國の票が含まれていなくてはならない。即ち五大國はその中の一國でも贊成投票をしないと、他にいかに七票以上の贊成があつても、その決議は成立しない。即ち一國だけで、他の國の意向いかんに拘わらず、理事會の意思決定を拒否しうる。いわゆる拒否權である。一種の多數決ではあるが、五大國に關する限り全會一致主義である。安全保障理事會の任務の重要性からして、この拒否權がその機能を麻痺させる可能性がある。五大國以下の中小國に非難の聲が多く五大國中ソ連を除く諸國、特にアメリカにおいても最近再檢討の聲が强い。もつとも紛爭の平和的處理が問題(第六章)となる場合には、紛爭の當事國は理事國(五大國を含む)であつても表決から除外される(第二七條)。强制措置の場合(第七章)は除外されない。

(三) 經濟社會理事會 Economic and Social Council　一八の理事國をもつて構成される。總會の三分の二の多數決で選出される。任期は三年、毎年六國づつ選擧される。再選も可能である(第六一條)。常任、非常任の區別はない。表決ももつぱら投票國の多數決による(第六七條)。五大國の拒否權などない。總會の下にあつて經濟的・社會的・文化的・人道的な國際問題の處理に當る(第六〇條)。

(四) 信託統治理事會 Trusteeship Council　三種の理事國がある。第一に、信託統治を行うすべての加盟國（現在、イギリス、フランス、オーストラリア、ニュージランド、ベルギー、アメリカの六國）、第二に、安全保障理事會の常任理事國、即ち五大國の中で信託統治を行わない國（即ち現在、ソ連、中國の二國）、第三に、總會が三分の二の多數決で三年の任期をもつて選擧する國、その數は信託統治を行う國と行わない國との差、即ち第一と第二の理事國の差（現在四）である（第八六條）。信託統治を行う國と行わない國との利害を調節する主旨である。後に述べる信託統治の監督を行うことを任務とする。一般に總會の下において、例外的に戰略的信託統治においては安全保障理事會の下において、その任務を果す（第八五・第八三條）。表決は投票國の多數決による（第八九條）。

（五）國際司法裁判所 International Court of Justice　國際連合の主要な司法機關である。自治的な地位を有し、その機構・權限・手續などは憲章と別に國際司法裁判所規程が定める。最も進步した、且つ有力な、國際的常設的な裁判所である。これは國際連盟時代の常設國際司法裁判所にわずかの修正を加えたものである。オランダのハーグにある。この裁判所の規程は憲章と不可分の關係にあり（第九二條）、國際連合の加盟國は同時に本裁判所の當事國である（第九三條）。一定要件の下に非加盟國も加入できる（スイス、リヒテンシュタインの例）。裁判所は裁判を行うほか、國際連合諸機關の求めに應じて、法律問題に關し勸告的意見を與える（第九六條）。

（六）事務局 Secretariat　事務的な機關である。國際連合の實際の活動に極めて重要な役割を有する。事務總長以下國籍を異にする多數の職員が、國際的官吏としてその所屬國政府から獨立して（第一〇〇條）働いていることは注目に價する。初代の事務總長にはノーウェーの外務大臣リェ氏が選ばれた。

〔**國際連合の任務**〕　平和と安全の維持、次に經濟的・社會的・文化的・人道的問題のための國際協力の達成、この二つが最も重要な任務である。このほかにもいろいろ數えうるが、その中で信託統治の監督は先の二者に次ぐものである。

（一）　平和と安全の維持　國際間の紛爭を平和的に處理すること（第六章）戰爭を强力的に防止すること（第七章）を含む。

a　紛爭の平和的處理　國際平和と安全を危くする惧れある紛爭や事態に對して平和的處理に當る。そのような狀態が生じたときは、その當事國はあらゆる平和的方法をつくして解決しなくてはならない（第三三條）。しかも解決ができないとき、安全保障理事會に訴え出なくてはならない（第三七條）。總會に付託することもできる（第一一條三五條）。そのようなさいには安全保障理事會も自ら進んで調査に乘出すことができる（第三四條）。第三國、非加盟國また事務總長もかかる狀態に對して安全保障理事會の注意を促すことができる（第三五・第九九條）。これらの場合に安全保障理事會は、當事國に對して適當な處理の方法を勸告したり、或は進んで解決條件を勸告したりすることができる（第三六―三八條）。安全保障理事會にはも第二次的にこの紛爭の平和的處理の任務を有する（第三五・第一一・第一二條）。總會には五大國の拒否權があつて（紛爭の當事國であるときは表決から除外されるが）、安全保障理事會のこの機能は圓滑に行かないおそれがある。そんなさいには第二次的ではあるが本問題に關する總會の機能が注目せられる。**總會に中間委員會としていわゆる小總會が設けられて、總會としてこの任務を繼續的に取上**

げて行こうとしていること及び總會自體の强化（一九五〇年一一月の「平和のための統一行動」の決議）が計られているのはその現れである。

b 戰爭の防止　正確には平和に對する脅威、平和の破壞、及び侵略行爲に對して集團的な强制行動をとることである。しかも勸告でなく、全加盟國を直ちに拘束する强力な權限をもつて行動する（第二五條及び第七章）。これはもつぱら安全保障理事會が行う。まず安全保障理事會は平和の脅威・破壞・侵略行爲の存否の認定を行う（第三九條）。個々の國家が勝手に主張できないことは重要なことである。第二に、右のような事態の防止措置として、まず事態の惡化を防ぐため暫定的な處置をとることを當事國に要求しうる（第四〇條）。軍の進擊停止とか撤退とか中立地帶の設定のようなことである。それにつづいて事態拾收に必要な勸告を行い又は處置をとる。この處置には經濟封鎖、交通通信や外交關係の斷絕のような非兵力措置（第四一條）と、それがだめなときの陸海軍による武力行動（第四二條）がある。この强制行動のための兵力は、豫め加盟國との間に特別協定（現在未だ一つもできていない）を結んでおいて、加盟國が提供すべき兵力、軍事的援助及び便益をきめておく（第四三條）。空軍に關しては特に緊急措置の定めがある（第四五條）。兵力の使用は軍事參謀委員會の援助をうけて安全保障理事會自ら立案する（第四六條）。加盟國は安全保障理事會の決定に從つて行動する（第四八條）。以上の紛爭の平和的處理及び戰爭の防止を通じて、地域的な協定や機關を利用する（最近この種の協定及び機關が次々と成立している）。それらは國際連合の目的と原則に反しないことを要し、强制行動をとるさいは、安全保障理事會の許可を事前に必要とする（第五二・五三條）。自衞權、とくに集團的自衞權の規定（第五一條）はこれと深く關連している。「平和のための統一行動」の決議は、總會もまた補充的にその勸告を通じて戰爭防止の機能を果す方法を具體化した。

（二） 經濟的・社會的・文化的・人道的問題のための國際協力の達成　第一に高い生活水準と完全雇傭、第二に經濟、社會、衞生に關する國際問題の解決、文化と教育に關する國際協力、第三に人權と自由の尊重を奬勵する（第五五條）。そのために國際連合は有力な各方面の國際機關その他の團體と緊密に連絡し（第五七・第七一條）、それらの政策や活動を調節するための勸告を行い（第五八・第六三條）つつこの方面における國際活動、國際協力を調節し育成しようとするものである。總會の下においてこの任に直接當るのが經濟社會理事會である（第六〇・第一三條）。國際連合との間にこの分野における協定を結んで特に連携關係を明かにした國際團體を專門機關 specialized agency と稱する（第五七・第六三條）が、それには文化・教育方面にユネスコ（國際連合教育科學文化機關）（United Nations Educational, Scientific, and Cultural Organization）經濟的方面に國際通貨基金（International Monetary Fund）國際復興開發銀行（International Bank for Reconstruction and Development）國際貿易機關（International Trade Organization）（未發效）國際連合食糧農業機關（U. N. Food and Agriculture Organization）衞生方面に世界保健機關（World Health Organization）社會的分野に國際勞働機關（International Labor Organization）國際避難民機關（International Refugee Organizaiton）交通通信方面に國際民間航空機關（International Civil Aviation Organization）萬國郵便連合（Universal Postal Union）國際電氣通信連合（International Telecommunication

Union）等を數える。これらはいずれもそれぞれの分野の最有力な國際機關である。これらは國際連合の目的に呼應して、經濟的社會的な國際協力の達成を通じて個人の利益、地位を守り高めることを主旨としている。既述のように國際社會、國際法秩序の發展が一方に個人の地位の高まりと歴史的に結付くことを考えるとき、この國際連合の任務の重大な意義が感得せられる。經濟社會理事會の役割の重要性も認識せられる。政治、軍事の方面に關する第一の任務、安全保障理事會の役割、に比してそれは勝るとも劣らぬ意義を有する。第一の任務の眞の達成は第二の任務の達成と結付かなくてはならない。

（三）その他、軍備の縮小或は統制（現在問題となつている原子力管理など）（第一一・第四七條）や國際法の發達、法典化（第一三條）などが擧げうるが、比較的重要なのは信託統治 Trusteeship の監督である。國際連合は一定の領土を信託統治制度の下におき、加盟國をしてその統治の任に當らしめ、連合自らはその監督に當ることとしている。國際連盟時代の委任統治を受繼いで若干修正したものである。まず一般に、未だ十分に自治できない住民のいる領土（大體いわゆる植民地）は非自治地域として、それを領有する加盟國は、その住民の利益・幸福を最高のものとして、政治、經濟、社會、教育その他の面において諸種の保護・援助をしなくてはならない（第七三條）。信託統治の場合は、國際的平和と安全の促進、住民の政治的・經濟的・社會的・教育的發達の促進など、非自治地域と通ずることのほか、獨立に向つての援助、人權と自由の尊重、加盟國及び同國民の平等待遇（第七六條）などを基本目的とする。信託統治の具體的原則は別に個々の信託統治協定をもつて定められる（第七九條）。この協定に關する任務その他信託統治の監督は總會が信託統治理事會の援助をうけて行う（第八五條）。監督は信託統治國の報告の審査、住民の請願の受理・審査、信託統治地域の定期的視察などである（第八七條）。信託統治地域の中にはとくに戰略的地區として指定されるものがある（第八二條）。その監督は安全保障理事會が行う（第八三條）。信託統治のもとにおける領土には、國際連盟時代に委任統治のもとにあつた地域、第二次大戰の結果敵國から分離された地域、任意に信託統治の下におかれる地域の三種がある。具體的には關係國の間の協定が定める（第七七條）。現在まで以前の委任統治領について十の信託統治協定が成立している。そのうち日本の南洋委任統治領はアメリカの信託統治のもとにおかれた。それはまた十の中ただ一つの戰略的信託統治である。最近イタリアの植民地について一つ信託統治が決定し、日本の琉球、小笠原諸島もアメリカの信託統治が豫定されている（對日平和條約三條）。

〔憲法の改正〕 總會が三分の二で改正案を採用し、次に加盟國の三分の二で批推することによつて改正が行われ、すべての加盟國に有効となる（第一〇八條）。したがつて批推によつて最終的承認の意思を表示しない國家もこの改正に拘束されることがある。その改正にどうしても不滿な國が國際連合から脱退するのは止むを得ない（サンフランシスコ會議聲明）。もつとも右の三分の二の加盟國による批推には、安全保障理事會の常任理事國、つまり五大國のそれが含まれていなくてはならない。即ち憲章のいかなる改正もいずれか一つの五大國の意思に反して行われることはない。別に國際會議を開いて行う改正方法もあるが、骨子は右と變らない（第一〇九條）。五大國の拒否權を廢止したり制限したりするのにも五大國自身が一致に達しないかぎり、それは實現困難なわけである。

〔國際連合と日本〕 日本も平和條約が發效したら國際連合加入が問題となろう。それは、國際社會の中心のもつとも有力な機關のなかの平等の一員となることであつて、日本の國際的地位を回復するもつとも早い確實な道である。それに日本は武備を撤廢し戰爭を放棄して、世界各國の信頼によつて國際社會に生存しようとしている。獨立を回復した日本の平和と安全とは何よりも國際連合に求めなくてはならない。

ただ現在のところ、日本が國際連合に加入しうる見通しは必ずしも十分でない。日本の平和條約がソ連その他若干の國を除いて成立したように、その根底にある世界政治の分裂が、日本の國際連合加入の決定において五大國の一致を得しめず、日本の加入が安全保障理事會における五大國の拒否權によつて妨げられる可能性が甚だ大きいからである。この點で平和主義に立つ日本としては大國間の協調をもつとも眞摯に願わざるを得ない立場にある。

日本の國際連合加入が困難と豫想されるにかかわらず、獨立回復後の日本は國際連合と種々の關係をもつに至るであろう。平和條約の前文にもそのことにふれているし、日本の安全保障に關する同條約第五條もそれにふれている。日本は、國際連合の目的、原則、就中平和と安全の維持に關する原則に從つて行動すべきことを約した。平和條約の相手方となつた連合國も、同じ原則を指針として日本の安全保障に臨むべきことを明かにした。しかし、これは、國際連合から保障を受けたことを意味しない。また國際連合から（トリエストのように）保障をうけ、或は進んで國際連合に加入しても、集團的强制措置に關する拒否權の適用により、五大國の一致が容易に期待し難い今日では、安全保障理事會による實效的な保障は望めない。ただし、この場合國際連合總會が强化されて、この種の機能をある限度で理事會に代つて果しうるようになつている。日本の場合、非武裝獨立の事態に備えて、平和條約で外國軍の駐屯が有得べきことを定め、それに呼應して別に日米安全保障條約が結ばれた。これは政治的、軍事的には中ソ同盟條約と對置される。國際連合の規定に反するとはいえないが、かかることはその本來の精神ではない。一方、それとともに日本憲法の精神、その規定にも反して再軍備することが余議ない情勢の如くなつている。このことは現在日本がおかれている國際情勢から止むを得ないとはいえ、日本にとつても世界にとつても不幸なことである。かりに日本が再軍備するとしても、それが止むを得ずして對處するところの現在の國際的危機が克服された曉には、内外に認められた非武裝戰爭放棄の本來の姿に必ず立返り得るよう、國内的にも國際的にも保障されることが必要であろう。また日米安全保障條約は暫定的なもので、オーストラリア、ニュージーランド、アメリカ間の太平洋安全保障條約、フィリッピン、アメリカ間の相互援助條約と相俟つていずれ太平洋同盟條約の如きものに發展すべきことが豫想されている。豫想される太平洋條約は北大西洋條約のように、國際連合の典型的な地域的取極であつて、日本はかかる組織を通じて間接に國際連合に關係することになる。北大西洋條約加盟國であつて國際連合にまだ入れずにいるイタリア(ただし制限的な軍備はもつている)と似た地位に立つことになる。國際連合憲章が規定し、日本の平和條約にも規定がある集團的自衞權が、かかる地域的取極と結付いてその安全保障の機能を强化してる。本來、安全保障理事會の許可によつてのみ發動しうる地域的機關の集團措置が、集團的自衞權の規定によつて、逆に、理事會が有效な措置をとるまで、事前に應急に發動しうることになる。日本が國際連合に加入しうるような世界の情勢となり、そして現實に日本が國際連合に加入しえて（軍備をもつことは必ずしも加入の條件ではない。加盟國のうちにもアイスランドのように軍隊をもたない國がある）、それに安全保障を託しうることが一番望ましいが、その加入前においても、平和と安全の問題についてはこのような關係をもつてくる。さらに、拒否權のない總會が或限度で安全保障の措置をとりうることを、日本の平和條約で連合國が憲章第二條の原則を指針とするといつていること、及び國際連合が加盟非加盟の國別に關係なく一般に國際の平和及び安全の維持を任務としていることともに注目する必要もある。

國際紛爭の平和的處理にしても、非加盟國として、總會或は安全保障理事會の、又は國際司法裁判所の措置を期待しうることになつていることはすでに述べたとおりである。

しかし、日本として忘れてならないのは、國際連合の經濟的社會的文化的活動である。平和國家、文化國家として出發する日本は、國際連合のこの分野の機能に十分注目しなくてはならない。從來の國際社會の歷史では、經濟、とくに社會文化問題は、一國のみにかかわる問題であつた。二〇世紀の今日、そのような經濟、社會、文化問題が、またそれとともに人々の生活水準や基本的人權が、顯著な國際問題となつている。國際連合がその規定においても、その組織を通じても、これに平和と安全の問題に劣らない重要性を與えている。否、今日の人々は、平和と安全の問題が、經濟、社會、文化、或は生活水準・基本的人權の問題と實質的に深く結付いていることを認識している。國際連合はその基礎の上に立ち、それを代表している。且つ、非武裝、戰爭放棄の平和國家、文化國家として立とうとする日本は、この分野においてこそ比較的早く國際社會に迎えられ、注目される地位を占めえよう。日本が少しでも主動的地位を占めて國際社會に貢献しうるのは、安全保障理事會におけるよりも、まず經濟社會理事會の席上においてであり、またそうでなくてはならない。成程、この場合も日本の國際連合加入の困難という問題がある。しかし、總會、經濟社會理事會を中心とする國際連合の經濟的、社會的、文化的活動は、國際連合を中心としつつ、直接には各分野における有力な専門的國際機關、いわゆる専門機關によつて行われる立前になつている。この専門機關はいずれも國際連合と密接に連絡して活動している。その數は正式には十一あるが、平和條約實施前にもかかわらず、日本はすでに、ユネスコ、國際勞働機關、萬國郵便連合、國際電氣通信連合に加入し、平和條約には、國際民間航空機關、世界氣象機關への加入が豫定せられ、さらに現在、世界衛生機關、國際連合食糧農業機關、國際通貨基金への加入が期待されている。各分野の有力な専門機關の殆どすべてに日本の參加が可能とみられる。この分野では、總會や經濟社會理事會の活動に拒否權の適用がないのみならず、これら専門機關の悉くがその點で同様である。それに對する加入がまた同様で、國際連合加入のさいのようなことがない。この面からも日本の加入の見通しはきわめて明るい。そして専門機關が組織的機能的に國際連合ときわめて密接な關係におかれていることは、日本がこれらの機關への加入を通じて、國際連合と、平和及び安全の問題の場合以上に、はるかに緊密な關係に立つことを意味する。のみならず、全米連合、西歐五國同盟、アラブ連盟、北大西洋同盟のような地域的機構も、政治、軍事的協力とともに、經濟的、社會的、文化的協力に重きをおき、またはその方向に向わんとしている。將來豫想される太平洋同盟においては、各國のもつ相互の異質性から、他の場合ほどに容易でないかも知れないが、その方向に進むことも十分豫想される。いづれにせよ、國際連合と日本との關係において、平和と安全の問題にとどまらず、經濟的、社會的、文化的問題、また生活水準、基本的人權の問題を重視することが必要である。

日本國との平和條約

連合國及び日本國は、兩者の關係が、今後、共通の福祉を增進し且つ國際の平和及び安全を維持するために主權を有する對等のものとして友好的な連携の下に協力する國家の間の關係でなければならないことを決意し、よつて、兩者の間の戰爭狀態の存在の結果として今なお未決である問題を解決する平和條約を締結することを希望するので、

日本國としては、國際連合への加盟を申請し且つあらゆる場合に國際連合憲章の原則を遵守し、世界人權宣言の目的を實現するために努力し、國際連合憲章第五十五條及び第五十六條に定められ且つ既に降伏後の日本國の法制によつて作られはじめた安定及び福祉の條件を日本國内に創造するために努力し、並びに公私の貿易及び通商において國際的に承認された公正な慣行に從う意思を宣言するので、

連合國は、前項に揭げた日本國の意思を歡迎するので、

よつて、連合國及び日本國は、この平和條約を締結することに決定し、これに應じて下名の全權委員を任命した。これらの全權委員は、その全權委任狀を示し、それが良好妥當であると認められた後、次の規定を協定した。

第一章　平和

第一條

(a) 日本國と各連合國との間の戰爭狀態は、第二十三條の定めるところによりこの條約が日本國と當該連合國との間に効力を生ずる日に終了する。

(b) 連合國は、日本國及びその領水に對する日本國民の完全な主權を承認する。

第二章　領域

第二條

(a) 日本國は、朝鮮の獨立を承認して、濟州島、巨文島及び欝陵島を含む朝鮮に對するすべての權利、權原及び請求權を放棄する。

(b) 日本國は、臺灣及び澎湖諸島に對するすべての權利、權原及び請求權を放棄する。

(c) 日本國は、千島列島並びに日本國が千九百五年九月五日のポーツマス條約の結果として主權を獲得した樺太の一部及びこれに近接する諸島に對するすべての權利、權原及び請求權

を放棄する。

(d) 日本國は、國際連盟の委任統治制度に關連するすべての權利、權原及び請求權を放棄し、且つ、以前に日本國の委任統治の下にあつた太平洋の諸島に信託統治制度を及ぼす千九百四十七年四月二日の國際連合安全保障理事會の行動を受諾する。

(e) 日本國は、日本國民の活動に由來するか又は他に由來するかを問わず、南極地域のいずれの部分に對する權利若しくは權原又はいずれの部分に關する利益についても、すべての請求權を放棄する。

(f) 日本國は、新南群島及び西沙群島に對するすべての權利、權原及び請求權を放棄する。

第三條

日本國は、北緯二十九度以南の南西諸島（琉球諸島及び大東諸島を含む。）、孀婦岩の南の南方諸島（小笠原群島、西之島及び火山列島を含む。）並びに沖の鳥島及び南鳥島を合衆國を唯一の施政權者とする信託統治制度の下におくこととする國際連合に對する合衆國のいかなる提案にも同意する。このような提案が行われ且つ可決されるまで、合衆國は、領水を含むこれらの諸島の領域及び住民に對して、行政、立法及び司法上の權力の全部及び一部を行使する權利を有するものとする。

第四條

(a) この條の(b)の規定を留保して、日本國及びその國民の財產で第二條に掲げる地域にあるもの並びに日本國及びその國民の請求權（債權を含む。）で現にこれらの地域の施政を行つている當局及びそこの住民（法人を含む。）に對するものの處理並びに日本國におけるこれらの當局及び住民の財產並びに日本國及びその國民に對するこれらの當局及び住民の請求權（債權を含む。）の處理は、日本國とこれらの當局との間の特別取極の主題とする。第二條に掲げる地域にある連合國又はその國民の財產は、まだ返還されていない限り、施政を行つている當局が現狀で返還しなければならない。（國民という語は、この條約で用いるときはいつでも、法人を含む。）

(b) 日本國は、第二條及び第三條に掲げる地域のいずれかにある合衆國軍政府により、又はその指令に從つて行われた日本國及びその國民の財產の處理の效力を承認する。

(c) 日本國とこの條約に從つて日本國の支配から除かれる領域とを結ぶ日本所有の海底電線は、二等分され、日本國は、日本の終點施設及びこれに連なる電線の半分を保有し、分離される領域は、殘りの電線及びその終點施設を保有する。

第三章　安全

第五條

(a) 日本國は、國際連合憲章第二條に掲げる義務、特に次の義務を受諾する。

I　その國際紛爭を、平和的手段によつて國際の平和及び安全並びに正義を危うくしないように解決すること。

II　その國際關係において、武力による威嚇又は武力の行使は、いかなる國の領土保全又は政治的獨立に對するものも、また、國際連合の目的と兩立しない他のいかなる方法によるものも愼むこと。

III　國際連合が憲章に從つてとるいかなる行動についても國際連合にあらゆる援助を與え、且つ、國際連合が防止行動又は强制行動をとるいかなる國に對しても援助の供與を愼むこと。

(b) 連合國は、日本國との關係において國際連合憲章第二條の原則を指針とすべきことを確認する。

(c) 連合國としては、日本國が主權國として國際連合憲章第五十一條に掲げる個別的又は集團的自衞の固有の權利を有すること及び日本國が集團的安全保障取極を自發的に締結することができることを承認する。

第六條

(a) 連合國のすべての占領軍は、この條約の效力發生の後なるべくすみやかに、且つ、いかなる場合にもその後九十日以内に、日本國から撤退しなければならない。但し、この規定は、一又は二以上の連合國を一方とし、日本國を他方として双方の間に締結された若しくは締結される二國間若しくは多數國間の協定に基く、又はその結果としての外國軍隊の日本國の領域における駐とん又は駐留を妨げるものではない。

(b) 日本國軍隊の各自の家庭への復歸に關する千九百四十五年七月二十六日のポツダム宣言の第九項の規定は、まだその實施が完了されていない限り、實行されるものとする。

(c) まだ代價が支拂われていないすべての日本財產で、占領軍の使用に供され、且つ、この條約の效力發生の時に占領軍が占有しているものは、相互の合意によつて別段の取極が行われない限り、前記の九十日以内に日本國政府に返還しなければならない。

第四章　政治及び經濟條項

第七條

(a) 各連合國は、自國と日本國との間にこの條約が効力を生じた後一年以内に、日本國との戰前のいずれの二國間の條約又は協約を引き續いて有効とし又は復活させることを希望するかを日本國に通告するものとする。こうして通告された條約又は協約はこの條約に適合することを確保するための必要な修正を受けるだけで、引き續いて有効とされ、又は復活される。こうして通告された條約及び協約は、通告の日の後三箇月で、引き續いて有効なものとみなされ、又は復活され、且つ、國際連合事務局に登錄されなければならない。日本國にこうして通告されないすべての條約及び協約は、廢棄されたものとみなす。

(b) この條の(a)に基いて行う通告においては、條約又は協約の實施又は復活に關し、國際關係について通告國が責任をもつ地域を除外することができる。この除外は、除外の適用を終止することが日本國に通告される日の三箇月後まで行われるものとする。

第八條

(a) 日本國は、連合國が千九百三十九年九月一日に開始された戰爭狀態を終了するために現に締結し又は今後締結するすべての條約及び連合國が平和の回復のため又はこれに關連して行う他の取極の完全な効力を承認する。日本國は、また、從前の國際連盟及び常設國際司法裁判所を終止するために行われた取極を受諾する。

(b) 日本國は、千九百十九年九月十日のサン・ジェルマン＝アン＝レイの諸條約及び千九百三十六年七月二十日のモントルーの海峽條約の署名國であることに由來し、並びに千九百二十三年七月二十四日にローザンヌで署名されたトルコとの平和條約の第十六條に由來するすべての權利及び利益を放棄する。

(c) 日本國は、千九百三十年一月二十日のドイツと債權國との間の協定及び千九百三十年五月十七日の信託協定を含むその附屬書並びに千九百三十年一月二十日の國際決濟銀行の定款に基いて得たすべての權利、權原及び利益を放棄し、且つ、それらから生ずるすべての義務を免かれる。日本國は、この條約の最初の効力發生の後六箇月以内に、この項に掲げる權利、權原及び利益の放棄をパリの外務省に通告するものとする。

第九條

日本國は、公海における漁獵の規制又は制限並びに漁業の保存及び發展を規定する二國間及び多數國間の協定を締結するために、希望する連合國とすみやかに交渉を開始するものとする。

第十條

日本國は、千九百一年九月七日に北京で署名された最終議定書並びにこれを補足するすべての附屬書、書簡及び文書の規定から生ずるすべての利得及び特權を含む中國におけるすべての特殊の權利及び利益を放棄し、且つ、前記の議定書、附屬書、書簡及び文書を日本國に關して廢棄することに同意する。

第十一條

日本國は、極東國際軍事裁判所並びに日本國内及び國外の他の連合國戰爭犯罪法廷の裁判を受諾し、且つ、日本國で拘禁されている日本國民にこれらの法廷が課した刑を執行するものとする。これらの拘禁されている者を赦免し、減刑し、及び假出獄させる權限は、各事件について刑を課した一又は二以上の政府の決定及び日本國の勸告に基く場合の外、行使することができない。極東國際軍事裁判所が刑を宣告した者については、この權限は、裁判所に代表者を出した政府の過半數の決定及び日本國の勸告に基く場合の外、行使することができない。

第十二條

(a) 日本國は、各連合國と、貿易、海運その他の通商の關係を安定した且つ友好的な基礎の上におくために、條約又は協定を締結するための交渉をすみやかに開始する用意があることを宣言する。

(b) 該當する條約又は協定が締結されるまで、日本國は、この條約の最初の效力發生の後四年間、

(1) 各連合國並びにその國民、產品及び船舶に次の待遇を與える。

I 貨物の輸出入に對する、又はこれに關連する關税、課金、制限その他の規制に關する最惠國待遇

II 海運、航海及び輸入貨物に關する内國民待遇並びに自然人、法人及びその利益に關する内國民待遇。この待遇は、税金の賦課及び徴收、裁判を受けること、契約の締結及び履行、財產權(有體財產及び無體財產に關するもの)、日本國の法律に基いて組織された法人への參加並びに一般にあらゆる種類の事業活動及び職業活動の遂行に關するすべての事項を含むものとする。

(2) 日本國の國營商企業の國外における賣買が商業的考慮にのみ基くことを確保する。

(c) もつとも、いずれの事項に關しても、日本國は、連合國が當該事項についてそれぞれ内國民待遇又は最惠國待遇を日本

國に與える限度においてのみ、當該連合國に内國民待遇又は最惠國待遇を與える義務を負うものとする。前段に定める相互主義は、連合國の非本土地域の產品、船舶、法人及びそこに住所を有する人の場合並びに連邦政府をもつ連合國の邦又は州の法人及びそこに住所を有する人の場合には、その地域、邦又は州において日本國に與えられる待遇に照らして決定される。

(d) この條の適用上、差別的措置であつて、それを適用する當事國の通商條約に通常規定されている例外に基くもの、その當事國の對外的財政狀態若しくは國際收支を保護する必要に基くもの(海運及び航海に關するものを除く。)又は重大な安全上の利益を維持する必要に基くものは、事態に相應しており、且つ、ほしいままな又は不合理な方法で適用されない限り、それぞれ内國民待遇又は最惠國待遇の許與を害するものと認めてはならない。

(e) この條に基く日本國の義務は、この條約の第十四條に基く連合國の權利の行使によつて影響されるものではない。またこの條の規定は、この條約の第十五條によつて日本國が引き受ける約束を制限するものと了解してはならない。

第十三條

(a) 日本國は、國際民間航空運送に關する二國間又は多數國間の協定を締結するため、一又は二以上の連合國の要請があつたときはすみやかに、當該連合國と交渉を開始するものとする。

(b) 一又は二以上の前記の協定が締結されるまで、日本國は、この條約の最初の效力發生の時から四年間、この效力發生の日にいずれかの連合國が行使しているところよりも不利でない航空交通の權利及び特權に關する待遇を當該連合國に與え且つ、航空業務の運營及び發達に關する完全な機會均等を與えるものとする。

(c) 日本國は、國際民間航空條約第九十三條に從つて同條約の當事國となるまで、航空機の國際航空に適用すべき同條約の規定を實施し、且つ、同條約の條項に從つて同條約の附屬書として採擇された標準、方式及び手續を實施するものとする。

第五章　請求權及び財產

第十四條

(a) 日本國は、戰爭中に生じさせた損害及び苦痛に對して、連合國に賠償を支拂うべきことが承認される。しかし、また、存立可能な經濟を維持すべきものとすれば、日本國の資源は日本國がすべての前記の損害及び苦痛に對して完全な賠償を行い且つ同時に他の債務を履行するためには現在充分でないことが承認される。

よつて、

1 日本國は、現在の領域が日本國軍隊によつて占領され、且つ日本國によつて損害を與えられた連合國が希望するときは、生産、沈船引揚げその他の作業における日本人の役務を當該連合國の利用に供することによつて、與えた損害を修復する費用をこれらの國に補償することに資するために、當該連合國とすみやかに交渉を開始するものとする。その取極は、他の連合國に追加負擔を課することを避けなければならない。また、原材料からの製造が必要とされる場合には、外國爲替上の負擔を日本國に課さないために、原材料は、當該連合國が供給しなければならない。

2 (I) 次の(II)の規定を留保して、各連合國は、次に掲げるもののすべての財産、權利及び利益でこの條約の最初の効力發生の時にその管轄の下にあるものを差し押え、留置し、清算し、その他何らかの方法で處分する權利を有する。

(a) 日本國及び月本國民

(b) 日本國又は日本國民の代理者又は代行者　並びに

(c) 日本國又は日本國民が所有し、又は支配した團體

この(I)に明記する財産、權利及び利益は、現に、封鎖され、若しくは所屬を變じており、又は連合國の敵産管理當局の占有若しくは管理に係るもので、これらの資産が當該當局の管理の下におかれた時に前記の(a)、又は(c)に掲げるいずれかの人又は團體に屬し、又はこれらのために保有され、若しくは管理されていたものを含む。

(II) 次のものは、前記の(I)に明記する權利から除く。

i 日本國が占領した領域以外の連合國の一國の領域に當該政府の許可を得て戰爭中に居住した日本の自然人の財産。但し、戰爭中に制限を課され、且つ、條約の最初の効力發生の日にこの制限を解除されない財産を除く。

ii 日本國政府が所有し、且つ、外交目的又は領事目的に使用されたすべての不動産、家具及び備品並びに日本國の外交職員又は領事職員が所有したすべての個人の家具及び用具類その他の投資的性質をもたない私有財産で外交機能又は領事機能の遂行に通常必要であつたもの。

iii 宗教團體又は私的慈善團體に屬し、且つ、もつぱら宗教又は慈善の目的に使用した財産

iv 關係國と日本國との間における千九百四十五年九月二日後の貿易及び金融の關係の再開の結果として日本國の管轄内にはいつた財産、權利及び利益。但し、當該連合國の法律に反する取引から生じたものを除く。

v 日本國若しくは日本國民の債務、日本國に所在する有體財産に關する權利、權原若しくは利益、日本國の法律に基いて組織された企業に關する利益又はこれらについての證書。但し、この例外は、日本國の通貨で表示された日本國及びその國民の債務にのみ適用する。

Ⅲ 前記の例外iからvまでに掲げる財産は、その保存及び管理のために要した合理的な費用が支拂われることを條件として、返還しなければならない。これらの財産が清算されているときは、代りに賣得金を返還しなければならない。

Ⅳ 前記のⅠに規定する日本財産を差し押え、留置し、清算し、その他何らかの方法で處分する權利は、當該連合國の法律に從つて行使され、所有者は、これらの法律によつて與えられる權利のみを有する。

Ⅴ 連合國は、日本の商標並びに文學的及び美術的著作權を各國の一般的事情が許す限り日本國に有利に取り扱うことに同意する。

(b) この條約に別段の定がある場合を除き、連合國は、連合國のすべての賠償請求權、戰爭の遂行中に日本國及びその國民がとつた行動から生じた連合國及びその國民の他の請求權並びに占領の直接軍事費に關する連合國の請求權を放棄する。

第十五條

(a) この條約が日本國と當該連合國との間に効力を生じた後九箇月以内に申請があつたときは、日本國は、申請の日から六箇月以内に、日本國にある各連合國及びその國民の有體財産及び無體財産並びに種類のいかんを問わずすべての權利又は利益で、千九百四十一年十二月七日から千九百四十五年九月二日までの間のいずれかの時に日本國内にあつたものを返還する。但し、所有者が强迫又は詐欺によることなく自由にこれらを處分した場合は、この限りでない。この財産は、戰爭があつたために課せられたすべての負擔及び課金を免除して、その返還のための課金を課さずに返還しなければならない。所有者により若しくは所有者のために又は所有者の政府により所定の期間内に返還が申請されない財産は、日本國政府がその定めるところに從つて處分することができる。この財産が千九百四十一年十二月七日に日本國に所在し、且つ、返還することができず、又は戰爭の結果として損傷若しくは損害を受けている場合には、日本國内閣が千九百五十一年七月十三日に決定した連合國財産補償法案の定める條件よりも不利でない條件で補償される。

(b) 戰爭中に侵害された工業所有權については、日本國は、千九百四十九年九月一日施行の政令第三百九號、千九百五十年一月二十八日施行の政令第十二號及び千九百五十年二月一日施行の政令第九號(いずれも改正された現行のものとする。)によりこれまで與えられたところよりも不利でない利益を引き續いて連合國及びその國民に與えるものとする。但し、前記の國民がこれらの政令に定められた期限までにこの利益の許與を申請した場合に限る。

(c) i 日本國は、公にされ及び公にされなかつた連合國及びその國民の著作物に關して千九百四十一年十二月六日に日本國に存在した文學的及び美術的著作權がその日以後引き續いて効力を有することを認め、且つ、その日に日本國が當事國であつた條約又は協定が戰爭の發生の時又はその時以後日本國又は當該連合國の國内法によつて廢棄され又は停止されたかどうかを問わず、これらの條約及び協定の實施によりその日以後日本國において生じ、又は戰爭がなかつたならば生ずるはずであつた權利を承認する。

ii 權利者による申請を必要とすることなく、且つ、いかなる手數料の支拂又は他のいかなる手續もすることなく、千九百四十一年十二月七日から日本國と當該連合國との間にこの條約が効力を生ずるまでの期間は、これらの權利の通常期間から除算し、また、日本國において翻譯權を取得するために文學的著作物が日本語に翻譯されるべき期間からは、六箇月の期間を追加して除算しなければならない。

第十六條

日本國の捕虜であつた間に不當な苦難を被つた連合國軍隊の構成員に償いをする願望の表現として、日本國は、戰爭中中立であつた國にある又は連合國のいずれかと戰爭していた國にある日本國及びその國民の資産又は、日本國が選擇するときは、これらの資産と等價のものを赤十字國際委員會に引き渡すものとし、同委員會は、これらの資産を清算し、且つ、その結果生ずる資金を、同委員會が衡平であると決定する基礎において、捕虜であつた者及びその家族のために、適當な國内機關に對して分配しなければならない。この條約の第十四條(a)2(II)のiiからvまでに掲げる種類の資産は、條約の最初の効力發生の時に日本國に居住しない日本の自然人の資産とともに、引渡しから除外する。またこの條の引渡規定は、日本國の金融機關が現に所有する一萬九千七百七十株の國際決濟銀行の株式には適用がないものと了解する。

第十七條

(a) いずれかの連合國の要請があつたときは、日本國政府は、當該連合國の國民の所有權に關係のある事件に關する日本國の捕獲審檢所の決定又は命令を國際法に從い再審査して修正し、且つ、行われた決定及び發せられた命令を含めて、これらの事件の記錄を構成するすべての文書の寫を提供しなければならない。この再審査又は修正の結果、返還すべきことが明らかになつた場合には、第十五條の規定を當該財産に適用する。

(b) 日本國政府は、いずれかの連合國の國民が原告又は被告として事件について充分な陳述ができなかつた訴訟手續において、千九百四十一年十二月七日から日本國と當該連合國との間にこの條約が效力を生ずるまでの期間に日本國の裁判所が行つた裁判を、當該國民が前記の效力發生の後一年以内にいつでも適當な日本國の機關に再審査のため提出することができるようにするために、必要な措置をとらなければならない。日本國政府は、當該國民が前記の裁判の結果損害を受けた場合には、その者をその裁判が行われる前の地位に回復するようにし、又はその者にそれぞれの事情の下において公正且つ衡平な救濟が與えられるようにしなければならない。

第十八條

(a) 戰爭狀態の介在は、戰爭狀態の存在前に存在した債務及び契約（債券に關するものを含む。）並びに戰爭狀態の存在前に取得された權利から生ずる金錢債務で、日本國の政府若しくは國民が連合國の一國の政府若しくは國民に對して、又は連合國の一國の政府若しくは國民が日本國の政府若しくは國民に對して負つているものを支拂う義務に影響を及ぼさなかつたものと認める。戰爭狀態の介在は、また、戰爭狀態の存在前に財産の滅失若しくは損害又は身體傷害若しくは死亡に關して生じた請求權で、連合國の一國の政府が日本國政府に對して、又は日本國政府が連合國政府のいずれかに對して提起し又は再提起するものの當否を審議する義務に影響を及ぼすものとみなしてはならない。この項の規定は、第十四條によつて與えられる權利を害するものではない。

(b) 日本國は、日本國の戰前の對外債務に關する責任と日本國が責任を負うと後に宣言された團體の債務に關する責任とを確認する。また、日本國は、これらの債務の支拂再開に關して債權者とすみやかに交渉を開始し、他の戰前の請求權及び債務に關する交渉を促進し、且つ、これに應じて金額の支拂を容易にする意圖を表明する。

第十九條

(a) 日本國は、戰爭から生じ、又は戰爭狀態が存在したためにとられた行動から生じた連合國及びその國民に對する日本國及びその國民のすべての請求權を放棄し、且つ、この條約の效力發生の前に日本國領域におけるいずれかの連合國の軍隊又は當局の存在、職務遂行又は行動から生じたすべての請求權を放棄する。

(b) 前記の放棄には、千九百三十九年九月一日からこの條約の效力發生までの間に日本國の船舶に關していずれかの連合國がとつた行動から生じた請求權並びに連合國の手中にある日本人捕虜及び被抑留者に關して生じた請求權及び債權が含まれる。但し、千九百四十五年九月二日以後いずれかの連合國が制定した法律で特に認められた日本人の請求權を含まない。

(c) 相互放棄を條件として、日本國政府は、また、政府間の請求權及び戰爭中に受けた滅失又は損害に關する請求權を含むドイツ及びドイツ國民に對するすべての請求權(債權を含む)を日本國政府及び日本國民のために放棄する。但し、(a)千九百三十九年九月一日前に締結された契約及び取得された權利に關する請求權並びに(b)千九百四十五年九月二日後に日本國とドイツとの間の貿易及び金融の關係から生じた請求權を除く。この放棄は、この條約の第十六條及び第二十條に從つてとられる行動を害するものではない。

(d) 日本國は、占領期間中に占領當局の指令に基いて若しくはその結果として行われ、又は當時の日本國の法律によつて許可されたすべての作爲又は不作爲の效力を承認し、連合國民をこの作爲又は不作爲から生ずる民事又は刑事の責任に問ういかなる行動もとらないものとする。

第二十條

日本國は、千九百四十五年ベルリン會議の議事の議定書に基いてドイツ財產を處分する權利を有する諸國が決定した又は決定する日本國にあるドイツ財產の處分を確實にするために、すべての必要な措置をとり、これらの財產の最終的處分が行われるまで、その保存及び管理について責任を負うものとする。

第二十一條

この條約の第二十五條の規定にかかわらず、中國は、第十條及び第十四條(a)2の利益を受ける權利を有し、朝鮮は、この條約の第二條、第四條、第九條及び第十二條の利益を受ける權利を有する。

第六章　紛爭の解決

第二十二條

この條約のいずれかの當事國が特別請求權裁判所への付託又は他の合意された方法で解決されない條約の解釋又は實施に關する紛爭が生じたと認めるときは、紛爭は、いずれかの紛爭當事國の要請により、國際司法裁判所に決定のため付託しなければならない。日本國及びまだ國際司法裁判所規程の當事國でない連合國は、それぞれがこの條約を批准する時に、且つ、千九百四十六年十月十五日の國際連合安全保障理事會の決議に從つて、この條に揭げた性質をもつすべての紛爭に關して一般的に同裁判所の管轄權を特別の合意なしに受諾する一般的宣言書を同裁判所書記に寄託するものとする。

第七章　最終條項

第二十三條

(a)　この條約は、日本國を含めて、これに署名する國によつて批准されなければならない。この條約は、批准書が日本國により、且つ、主たる占領國としてのアメリカ合衆國を含めて、次の諸國、すなわちオーストラリア、カナダ、セイロン、フランス、インドネシア、オランダ、ニュー・ジーランド、パキスタン、フィリピン、グレート・ブリテン及び北部アイルランド連合王國、及びアメリカ合衆國の過半數により寄託された時に、その時に批准しているすべての國に關して効力を生ずる。この條約は、その後これを批准する各國に關しては、その批准書の寄託の日に効力を生ずる。

(b)　この條約が日本國の批准書の寄託の日の後九箇月以内に効力を生じなかつたときは、これを批准した國は、日本國の批准書の寄託の日の後三年以内に日本國政府及びアメリカ合衆國政府にその旨を通告して、自國と日本國との間にこの條約の効力を生じさせることができる。

第二十四條

すべての批准書は、アメリカ合衆國政府に寄託しなければならない。同政府は、この寄託、第二十三條(a)に基くこの條約の効力發生の日及びこの條約の第二十三條(b)に基いて行われる通告をすべての署名國に通告する。

第二十五條

この條約の適用上、連合國とは、日本國と戰爭していた國又は以前に第二十三條に列記する國の領域の一部をなしていたものをいう。但し、各場合に當該國がこの條約に署名し且つこれを批准したことを條件とする。第二十一條の規定を留保して、この條約は、ここに定義された連合國の一國でないいずれの國に對しても、いかなる權利、權原又は利益も與えるものではない。また、日本國のいかなる權利、權原又は利益も、この條約のいかなる規定によつても前記のとおり定義された連合國の一國でない國のために減損され、又は害されるものとみなしてはならない。

第二十六條

日本國は、千九百四十二年一月一日の連合國宣言に署名し若しくは加入しており、且つ、日本國に對して戰爭狀態にある國又は以前に第二十三條に列記する國の領域の一部をなしていた國で、この條約の署名國でないものと、この條約に定めるところと同一の又は實質的に同一の條件で二國間の平和條約を締結する用意を有すべきものとする。但し、この日本國の義務は、この條約の最初の効力發生の後三年で滿了する。日本國が、いずれかの國との間で、この條約で定めるところよりも大きな利益をその國に與える平和處理又は戰爭請求權處理を行つたときは、これと同一の利益は、この條約の當事國にも及ぼされなければならない。

第二十七條

この條約は、アメリカ合衆國政府の記錄に寄託する。同政府は、その認證謄本を各署名國に交付する。

以上の證據として、下名の全權委員はこの條約に署名した。

千九百五十一年九月八日にサン・フランシスコ市で、ひとしく正文である英語、フランス語、及びスペイン語により、並びに日本語により作成した。

註　調印國（四九）

アルゼンチン　オーストラリア　ベルギー　ボリヴィア
ブラジル　カンボヂヤ　カナダ　セイロン
チリー　コロンビア　コスタリカ　キューバ
ドミニカ　エクアドル　エジプト　エル・サルヴァドル
エチオピア　フランス　ギリシヤ　グアテマラ
ハイチ　ホンデュラス　インドネシア　イラン
イラク　ラオス　レバノン　リベリア
ルクセンブルグ　メキシコ　オランダ　ニュージーランド
ニカラグア　ノルウエー　パキスタン　パナマ

パラグアイ　ペルー　フイリツピン　サウジ・アラビア
シリア　トルコ　南アフリカ　イギリス
アメリカ　ウルグアイ　ヴエネズエラ　ヴエトナム
日本

非調印國(三)　チエツコ　ポーランド　ソ連邦
非參加國(三)　ビルマ　インド　ユーゴー
右以外の第二六條該當國　中國

宣　言

本日署名された平和條約に關して、日本國政府は、次の宣言を行う。

1　この平和條約に別段の定がある場合を除き、日本國は、現に有効なすべての多數國間の國際文書で千九百三十九年九月一日に日本國が當事國であつたものが完全に効力を有することを承認し、且つ、平和條約の最初の効力發生の時にこれらの文書に基くすべての權利及び義務を回復することを宣言する。但し、いずれかの文書の當事國であるために日本國が千九百三十九年九月一日以後加盟國でなくなつた國際機關の加盟國であることを必要とする場合には、この項の規定は、日本國の當該機關への再加盟をまつて効力を生ずるものとする。

2　日本國政府は、實行可能な最短期間内に、且つ、平和條約の最初の効力發生の後一年以内に、次の國際文書に正式に加入する意思を有する。

(1)　千九百十二年一月二十三日、千九百二十五年二月十一日、千九百二十五年二月十九日、千九百三十一年七月十三日、千九百三十一年十一月二十七日及び千九百三十六年六月二十六日の麻藥に關する協定、條約及び議定書を改正する千九百四十六年十二月十一日にレーク・サクセスで署名のために開放された議定書。

(2)　千九百四十六年十二月十一日にレーク・サクセスで署名された議定書によつて改正された麻藥の製造制限及び分配取締に關する千九百三十一年七月十三日の條約の範圍外の藥品を國際統制の下におく千九百四十八年十一月十九日にパリで署名のために開放された議定書。

(3)　千九百二十七年九月二十六日にジュネーヴで署名された外國の仲裁判決の執行に關する國際條約。

(4)　千九百二十八年十二月十四日にジュネーヴで署名された經濟統計に關する國際條約及び議定書並びに千九百二十八年の經濟統計に關する國際條約を改正する千九百四十八年十二月九日にパリで署名された議定書。

(5) 千九百二十三年十一月三日にジュネーヴで署名された税關手續の簡易化に關する國際條約及び署名議定書。

(6) 千九百十一年六月二日にワシントンで、千九百二十五年十一月六日にヘーグで、及び千九百三十四年六月二日にロンドンで修正された貨物の原産地虚僞表示の防止に關する千八百九十一年四月十四日のマドリッド協定。

(7) 千九百二十九年十月十二日にワルソーで署名された國際航空運送についてのある規則の統一に關する條約及び追加議定書。

(8) 千九百四十八年六月十九日にロンドンで署名のために開放された海上における人命の安全に關する條約。

(9) 千九百四十九年八月十二日の戰爭犧牲者の保護に關するジュネーヴ諸條約

3 日本國政府は、また、平和條約の最初の効力發生の後六箇月以內に、(a)千九百四十四年十二月七日にシカゴで署名のために開放された國際民間航空條約への參加の承認を申請し、且つ、日本國がその條約の當事國となつた後なるべくすみやかに、同じく千九百四十四年十二月七日にシカゴで署名のために開放された國際航空業務通過協定を受諾し、及び(b)千九百四十七年十月十一日にワシントンで署名のために開放された世界氣象機關條約への參加の承認を申請する意思を有する。

宣言

本日署名された平和條約に關して、日本國政府は、次の宣言を行う。

日本國は、いずれかの連合國によつて日本國の領域にある當該國の戰死者の墓、墓地及び記念碑を識別し、一覧表にし、維持し、又は整理する權限を與えられた委員會、代表團その他の機關を承認し、このような機關の事業を容易にし、且つ、前記の戰死者の墓、墓地及び記念碑に關して、當該連合國又は當該連合國によつて權限を與えられた委員會、代表團その他の機關と、必要とされる協定を締結するために交渉を開始する。

日本國は、連合國が、連合國の領域にあり且つ保存を希望される日本人の戰死者の墓又は墓地を維持するために取極をする目的をもつて、日本國政府との協議を開始すべきことを信ずる。

議定書

下名は、このために正當に權限を與えられて、日本國との平和が回復した時に契約、時効期間及び流通證券の問題並びに保險契約の問題を律するために、次の規定を協定した。

契約、時効及び流通證券

A 契約

1 Fに定める敵人となつたいずれかの當事者の間でその履行のため交渉を必要とした契約は、いずれかの契約當事者が敵人となつた時に解除されたものとみなす。但し、次の第二項及び第三項に掲げる例外については、この限りでない。もつとも、この解除は、本日署名された平和條約の第十五條及び第十八條の規定を害するものではなく、また、契約の當事者に對しては、前渡金又は内金として受領され、且つ、その當事者が反對給付を行わなかつた金額を拂いもどす義務を免除するものではない。

2 分割することができ、且つ、Fに定める敵人となつたいずれかの當事者の間で履行のため交渉を必要としなかつた契約の一部は、前項の規定にかかわらず、解除されないものとし且つ、本日署名された平和條約の第十四條に含まれる權利を害することなく、引き續いて有効とする。契約の規定がこのように分割することができない場合には、その契約は、全體として解除されたものとみなす。前記は、この議定書の署名國で、平和條約にいう連合國であり且つ當該契約又はいずれかの契約當事者に對し管轄權を有するものによつて制定された國内の法律、命令又は規則の適用を受け、且つ、當該契約の條項に從うものとする。

3 Aの規定は、敵人間の契約に從つて適法に行われた取引がこの議定書の署名國で平和條約にいう連合國であるものの政府たる關係政府の許可を得て行われたときは、當該取引を無効にするものとみなしてはならない。

4 前記の規定にかかわらず、保險契約及び再保險契約は、この議定書のD及びEの規定に從つて取り扱う。

B 時効期間

1 人又は財產に影響する關係で、戰爭狀態のために自己の權利を保全するのに必要な訴訟行爲又は必要な手續をすることができなかつたこの議定書の署名國の國民に係るものについて訴の提起又は保存措置をする權利に關するすべての時効期間又は制限期間は、この期間が戰爭の發生の前に進行し始めたか又は後に進行し始めたかを問わず、一方日本國の領域において、他方この項の規定の利益を相互主義によつて日本國に與える署名國の領域において、戰爭の繼續中その進行を停止されたものとみなす。これらの期間は、本日署名された平和條約の効力發生の日から再び進行し始める。この項の規定は、利札若しくは配當金受領證の呈示について、又は償還のための抽せんに當せんした有價證券若しくは他の何らかの理由で償還される有價證券の支拂を受けるための呈示について定められた期間に適用する。但し、これらの利札又は有價證券に關しては、期間は、利札又は有價證券の保有者に對して金額を支拂うことができるようになつた日から再び進行し始めるものとする。

2 戰爭中に何らかの行爲をせず、又は何らかの手續をしなかつたために處分が日本國の領域において行われた場合において、この議定書の署名國で平和條約にいう連合國であるものの一國の國民に損害を與えるに至つたときは、日本國政府はその損害を生じた權利を回復しなければならない。この回復が不可能又は不衡平である場合には、日本國政府は、關係署名國の國民にそれぞれの事情の下において公正且つ衡平な救濟が與えられるようにしなければならない。

C 流通證券

1 敵人間においては、戰前に作成された流通證券は、戰爭中に、引受若しくは支拂のための證券の呈示、振出人若しくは裏書人への引受拒絶若しくは支拂拒絶の通知又は拒絶證書の作成を所要の期間内にしなかつたことだけを理由として、あるいは戰爭中に何らかの手續を完了しなかつたことを理由として無効となつたものとみなしてはならない。

2 流通證券が引受若しくは支拂のために呈示され、引受拒絶若しくは支拂拒絶の通知が振出人若しくは裏書人に與えられ又は拒絶證書が作成されなければならない期間が戰爭中に經過し、且つ、證券を呈示し、拒絶證書を作成し、又は引受拒絶若しくは支拂拒絶の通知を與えなければならない當事者が戰爭中にそれを行わなかつた場合には、呈示し、引受拒絶若しくは支拂拒絶の通知を與え、又は拒絶證書を作成することができるように、本日署名された平和條約の效力發生の日から三箇月以上の期間が與えられなければならない。

3 何人かが、戰爭前又は戰爭中に、後に敵人となつた者から與えられた約束の結果として、流通證券に基く債務を負つたときは、後者は、戰爭の發生にかかわらず、この債務に關して前者に補償する責任を引き續いて負わなければならない。

D 當事者が敵人となつた日の前に終了していなかつた保險契約及び再保險契約(生命保險を除く。)

1 保險契約は、當事者が敵人となつたという事實によつては解除されなかつたものとみなす。但し、當事者が敵人となつた日の前に保險責任が開始しており、且つ、保險契約者がその日の前に契約に從つて保險を成立させ又はその效力を維持するための保險料として支拂らべきすべての金額を支拂つたことを條件とする。

2　前項に基いて引き續き効力を有しているもの以外の保險契約は、存在しなかつたものとみなし、これに基いて支拂われた金額は、返濟しなければならない。

3　以下に明文の規定がある場合を除き、特約再保險その他の再保險契約は、當事者が敵人となつた日に終了したものとみなし、且つ、これに基くすべての出再保險契約は、その日に取り消されたものとする。但し、特約海上再保險に基いて開始された航海保險に關する出再保險契約は、再保險された條件に從つて自然に終了するまで引き續いて完全に効力を有したものとみなす。

4　任意再保險契約は、保險責任が開始しており、且つ、再保險を成立させ又はその効力を維持するための保險料として支拂らべきすべての金額が通例の方法で支拂われ、又は相殺された場合には、再保險契約に別段の定がない限り、當事者が敵人となつた日まで引き續いて完全に効力を有し、且つ、その日に終了したものとみなす。

もつとも、航海保險については、この任意再保險は、再保險された條件に從つて自然に終了するまで引き續いて完全に効力を有したものとみなす。更に、前記の1に基いて引き續き効力を有している保險契約に關する任意再保險は、元受保險の期間滿了まで引き續いて完全に効力を有したものとみなす。

5　前項で取り扱つたもの以外の任意再保險契約並びに「超過損害率」に基く超過損害再保險及び雹害再保險（任意契約であるかどうかを問わない。）のすべての契約は、存在しなかつたものとみなし、これらに基いて支拂われた金額は、返濟しなければならない。

6　特約再保險その他の再保險契約に別段の定がない場合には保險料は、經過期間に比例して淸算しなければならない。

7　保險契約又は再保險契約（特約再保險に基く出再保險契約を含む。）は、いずれかの當事者が國民であつたいずれかの國又はその國の連合國若しくは同盟國による交戰行爲に基く損害又は請求權を擔保しないものとみなす。

8　保險が戰爭中に原保險者から他の保險者に移轉された場合又は全額再保險された場合には、その移轉又は再保險は、自發的に行われたか又は行政若しくは立法の措置によつて行われたかを問わず、有効と認め、原保險者の責任は、移轉又は再保險の日に消滅したものとみなす。

9　同一の兩當事者間に二以上の特約再保險その他の再保險契約があつた場合には、兩當事者間の勘定を淸算するものとしその結果生ずる殘高を確定するために、その勘定には、すべての殘高（未拂の損害に對する合意した準備金を含む。）及びこのようなすべての契約に基いて一當事者から他の當事者に支拂うべきすべての金額又は前記の諸規定のいずれかによつて返濟されるべきすべての金額を算入しなければならない。

10　當事者が敵人となつたために保險料、請求權又は勘定殘高の決濟に當つて生じた又は生ずる延滯については、いずれの當事者も、利息の支拂を要しないものとする。

11　この議定書のDの規定は、本日署名された平和條約の第十四條によつて與えられる權利を害し、又はこれに影響を及ぼすものではない。

E　生命保險契約

保險が戰爭中に原保險者から他の保險者に移轉された場合又は全額再保險された場合には、その移轉又は再保險は、日本國の行政機關又は立法機關の要求によつて行われたものであるときは、有効と認め、原保險者の責任は、移轉又は再保險の日に消滅したものとみなす。

F　特別規定

この議定書の適用上、自然人又は法人は、これらの者の間で取引をすることがこれらの者又は當該契約が從つていた法律、命令又は規則に基いて違法となつた日から敵人とみなす。

最終條項

この議定書は、日本國及び本日署名された日本國との平和條約の署名國による署名のために開放され、且つ、この議定書が取り扱う事項について、日本國とこの議定書の署名國である他の各國との間の關係を、日本國及び當該署名國の双方が平和條約によつて拘束される日から律するものとする。

この議定書は、アメリカ合衆國政府の記錄に寄託する。同政府は、その認證謄本を各署名國に交付する。

以上の證據として、下名の全權委員は、この議定書に署名した。

千九百五十一年九月八日にサン・フランシスコ市で、ひとしく正文である英語、フランス語、及びスペイン語により、並びに日本語により作成した。

日本國とアメリカ合衆國との間の安全保障條約

日本國は、本日連合國との平和條約に署名した。日本國は、武装を解除されているので、平和條約の效力發生の時において固有の自衞權を行使する有効な手段をもたない。

無責任な軍國主義がまだ世界から驅逐されていないので、前記の狀態にある日本國には危險がある。よつて、日本國は、平和條約が日本國とアメリカ合衆國の間に效力を生ずるのと同時に效力を生ずべきアメリカ合衆國との安全保障條約を希望する。

平和條約は、日本國が主權國として集團的安全保障取極を締結する權利を有することを承認し、さらに、國際連合憲章は、すべての國が個別的及び集團的自衞の固有の權利を有することを承認している。

これらの權利の行使として、日本國は、その防衞のための暫定措置として、日本國に對する武力攻擊を阻止するため日本國内及びその附近にアメリカ合衆國がその軍隊を維持することを希望する。

アメリカ合衆國は、平和と安全のために、現在、若干の自國軍隊を日本國内及びその附近に維持する意思がある。但し、アメリカ合衆國は、日本國が、攻擊的な脅威となり又は國際連合憲章の目的及び原則に從つて平和と安全を增進すること以外に用いられうべき軍備をもつことを常に避けつつ、直接及び間接の侵略に對する自國の防衞のため漸增的に自ら責任を負うことを期待する。

よつて、兩國は、次のとおり協定した。

第一條

平和條約及びこの條約の效力發生と同時に、アメリカ合衆國の陸軍、空軍及び海軍を日本國内及びその附近に配備する權利を、日本國は、許與し、アメリカ合衆國は、これを受諾する。この軍隊は、極東における國際の平和と安全の維持に寄與し、並びに、一又は二以上の外部の國による教唆又は干渉によつて引き起された日本國における大規模の内亂及び騷じようを鎭壓するため日本國政府の明示の要請に應じて與えられる援助を含めて、外部からの武力攻擊に對する日本國の安全に寄與するために使用することができる。

第二條

第一條に掲げる權利が行使される間は、日本國は、アメリカ合衆國の事前の同意なくして、基地、基地における若しくは基地に關する權利、權力若しくは權能、駐兵若しくは演習の權利又は陸軍、空軍若しくは海軍の通過の權利を第三國に許與しない。

第三條

アメリカ合衆國の軍隊の日本國内及びその附近における配備を規律する條件は、兩政府間の行政協定で決定する。

第四條

この條約は、國際連合又はその他による日本區域における國際の平和と安全の維持のため充分な定をする國際連合の措置又はこれに代る個別的若しくは集團的の安全保障措置が効力を生じたと日本國及びアメリカ合衆國の政府が認めた時はいつでも効力を失うものとする。

第五條

この條約は、日本國及びアメリカ合衆國によつて批准されなければならない。この條約は、批准書が兩國によつてワシントンで交換された時に効力を生ずる。

以上の證據として、下名の全權委員はこの條約に署名した。

千九百五十一年九月八日にサン・フランシスコ市で、日本語及び英語により、本書二通を作成した。

日本國のために
吉田茂

アメリカ合衆國のために
ディーン・アチソン
ジョーン・フォスター・ダレス
アレキサンダー・ワイリー
スタイルス・ブリッジス

昭和二十六年十一月二十日印刷
昭和二十六年十一月二十五日發行
（以印刷代謄寫）

著作兼發行者　高野雄一
印刷者　春山治部左衛門
東京都千代田區神田神保町三ノ一〇

国際法講義要目（昭和26年）（オンデマンド版）

2015年8月1日　発行

著　者　高野　雄一
発行者　江草　貞治
発行所　株式会社 有斐閣
〒101-0051　東京都千代田区神田神保町2-17
TEL　03(3264)1314(編集)　03(3265)6811(営業)
URL　http://www.yuhikaku.co.jp/

印刷・製本　株式会社 デジタルパブリッシングサービス
URL　http://www.d-pub.co.jp/

AH267

ISBN4-641-91648-9
Printed in Japan